LLŶN

# Llŷn

## *Elfed Gruffydd*

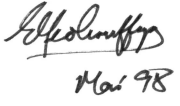

*Argraffiad cyntaf: Mai 1998*

ⓗ *Elfed Gruffydd*

*Ni chaniateir defnyddio unrhyw ran/rannau*
*o'r llyfr hwn mewn unrhyw fodd*
*(ac eithrio i ddiben adolygu)*
*heb ganiatâd perchennog yr hawlfraint yn gyntaf.*

*Rhyf Llyfr Safonol Rhyngwladol:*
*0-86381-492-1*

*Clawr: Smala, Caernarfon*
*Lluniau'r clawr: Aled Gruffydd, Llun Mewn Ffrâm*
*Mapiau: Ken Gruffydd*

*Argraffwyd a chyhoeddwyd gan Wasg Carreg Gwalch,*
*12 Iard yr Orsaf, Llanrwst, Dyffryn Conwy LL26 0EH.*
☎ *(01492) 642031*

*Lluniau'r clawr: Aberdaron, Ynys Enlli, Garn Fadrun,*
*Eglwys Llanfihangel Bachellaeth, Porth Dinllaen*

# Cynnwys

## Gair am y Gyfres

Bob blwyddyn bydd llinyn o Eisteddfodwyr a llygad y cyfryngau Cymreig yn troi i gyfeiriad dwy fro arbennig – bro Eisteddfod yr Urdd ar ddiwedd y gwanwyn a bro'r Eisteddfod Genedlaethol ynghanol yr haf.

Yn ogystal â rhoi cyfle i fwynhau'r cystadlu a'r cyfarfod, y seremonïau a'r sgwrsio, a'r diwylliant a'r dyrfa, mae'r eisteddfodau hyn yn cynnig llawer mwy na'r Maes yn unig. Yn naturiol, mae'r ardaloedd sy'n cynnig cartref i'r eisteddfodau yn rhoi lliw eu hanes a'u llên eu hunain ar y gweithgareddau, a bydd eisteddfodwyr yn dod i adnabod bro ac yn treulio amser yn crwydro'r fro wrth ymweld â'r gwyliau.

Ers tro mae bwlch ar ein silffoedd llyfrau Cymraeg am gyfres o arweinlyfrau neu gyfeirlyfrau hwylus a difyr sy'n portreadu gwahanol ardaloedd yng Nghymru i'r darllenwyr Cymraeg. Cafwyd clamp o gyfraniad gan yr hen gyfres 'Crwydro'r Siroedd' ond bellach mae angen cyfres newydd, boblogaidd sy'n cyflwyno datblygiadau newydd i do newydd.

Dyma nod y gyfres hon – cyflwyno bro arbennig, ei phwysigrwydd ar lwybrau hanes, ei chyfraniad i ddiwylliant y genedl, ei phensaernïaeth, ei phobl a'i phrif ddiwydiannau, gyda'r prif bwyslais ar yr hyn sydd yno heddiw a'r mannau sydd o ddiddordeb i ymwelwyr, boed yn ystod yr Eisteddfod neu ar ôl hynny.

**Teitlau eraill yn y gyfres:**
**BRO MAELOR** – Aled Lewis Evans
**BRO DINEFWR** – Gol: Eleri Davies
**GWENT** – Gareth Pierce
**PENLLYN** – Ifor Owen
**EIFIONYDD** – Guto Roberts

# Cyflwyniad

Cyn 1284 roedd Llŷn yn uned weinyddol – cantref gyda thri chwmwd ynddo. Cwmwd Cymydmaen oedd ym mhen pellaf Llŷn gyda Neigwl yn ganolfan. Ar yr ochr ogleddol roedd cwmwd Dinllaen, sef 'dinas yn Llŷn', gyda Nefyn yn ganolfan weinyddol. Yng Nghafflogion yn y rhan ddeheuol, o Lanengan i Aber-erch, Pwllheli oedd y ganolfan. Ffurf arall ar Gafflogion yw Afloegion, sy'n tarddu o'r enw Afloeg – mab Cunedda Wledig, un o benaethiaid y Gododdin yn yr Hen Ogledd.

Yr un tarddiad sydd i'r enw Llŷn ag i Leinster, y dalaith yn Iwerddon. Dyna ddangos mor glòs oedd y berthynas rhwng y Gwyddelod a'r Cymry yn yr hen amser.

O ganlyniad i fuddugoliaeth Edward y Cyntaf yn 1282 lluniwyd sir Gaernarfon gan Statud Cymru yn Rhuddlan yn 1284. Unwyd cantref Llŷn a chwmwd Eifionydd, cantrefi Arfon ac Arllechwedd a chwmwd Creuddyn i ffurfio'r sir newydd.

Ymhen canrifoedd wedyn yn 1974 unwyd siroedd Caernarfon, Môn a Meirionnydd i ffurfio Gwynedd. Ffurfiwyd uned weinyddol newydd – Dwyfor – a chodwyd y pencadlys ym Mhwllheli. Gosododd Dwyfor ei stamp ar lywodraeth leol Cymru o'r dechrau pan fabwysiadodd bolisi iaith cadarn a Chymreig dan gadeiryddiaeth Robyn Lewis, a defnyddio 'Dwyfor, angor yr iaith' fel arwyddair.

Ymhen ugain mlynedd yn 1996 gwelwyd ad-drefnu llywodraeth leol unwaith eto yng Nghymru. Unwyd Dwyfor a Meirionnydd a rhan helaeth o Arfon i lunio Gwynedd.

Ardal wledig amaethyddol a dylanwad y môr yn drwm iawn arni yw Llŷn, gyda thwristiaeth yn cyfrannu'n helaeth at economi'r ardal. Yn 1991 roedd poblogaeth Llŷn yn 16,488 gyda phoblogaeth Pwllheli yn cyfrif am bron i chwarter y trigolion (3,974). Gwelwyd cynnydd o 330 yn y boblogaeth ers 1981.

Bu'r penrhyn yn gadarnle i'r Gymraeg ar hyd y canrifoedd ac yng nghyfrifiad 1991 roedd 75.4% o boblogaeth Dwyfor yn medru siarad Cymraeg, o'i gymharu â 61.0% yng Ngwynedd a 17.9% yng Nghymru. Bu gostyngiad yn nifer y siaradwyr Cymraeg yn ystod y degawd, ond pery mwyafrif helaeth y plwyfi i ddangos bod dros 80% o'u trigolion yn siarad Cymraeg – 82.2% ym Mhwllheli. Ond parhaodd y mewnlifiad i dai haf a chartrefi parhaol a gwelwyd gostyngiad yn nifer y siaradwyr Cymraeg, yn arbennig yn Llanbedrog lle disgynnodd i 53.5% o'r 73.2% oedd yno yn 1981. Ym mhlwyf Llanengan, sy'n cynnwys Aber-soch, roedd 34.3% o'r tai yn ail gartrefi.

Cyfeirir at drigolion yr ardal fel Lloeau Llŷn a rhoddwyd cynnig ar gynllunio arfbais ar sail hynny. Rhoddwyd enwau ar drigolion rhai pentrefi hefyd:

Brain Bryncroes
Moch Edern
Gwylanod Penycaerau
Llwynogod y Rhiw
Sinachod Uwchmynydd
Brain Llannor
Lladron Pistyll
Steni Llanaelhaearn

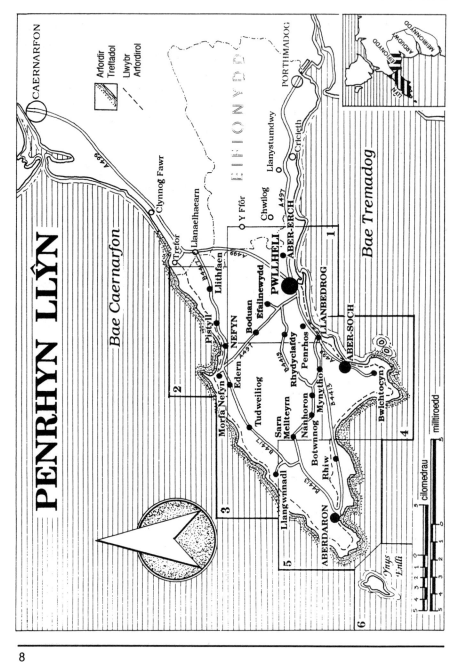

Ŵyn Aberdaron

a'r enwocaf o'r cwbl:

Penwaig Nefyn

## Llanw Llŷn

Ym mis Mawrth 1977 yr ymddangosodd y rhifyn cyntaf o bapur bro Llŷn, sef *Llanw Llŷn,* ac fe'i cyhoeddir yn fisol gan griw selog o swyddogion, golygyddion, cyfranwyr, teipwyr, gosodwyr a dosbarthwyr. Argraffwyd 1,200 o gopïau o'r rhifyn cyntaf ond gwerthir 2,100 yn gyson ers blynyddoedd bellach.

## Y Tywydd

Mae Llŷn yn aml iawn yn llwyddo i osgoi eithafion a cheir tywydd cymharol fwyn gydol y flwyddyn gyda rhew difrifol ac eira yn brin. Ond deil eira trwchus 1982 yn y cof pan gafwyd dyddiau lawer pryd na fedrwyd symud o gwbl o'r naill bentref i'r llall ar y penrhyn. Daw prifwynt de-orllewin o'r môr sy'n golygu y ceir glawiad cymhedrol, ond ceir glawiad trymach dros y tir uwch, er ei fod yn llawer is na glawiad Eryri. Mae'r prifwynt o'r môr yn cadw tymheredd yr haf yn gymharol isel ond eto i gyd mae dyddiau blodeuo rhai planhigion wythnos yn gynharach ar yr arfordir nag ydyw ychydig bellter o'r môr. Ceir tywydd tymhestlog, gydag eithafion gwyntog fel a welwyd o gwmpas Nadolig 1997. Ar gyfartaledd gall deng niwrnod ar hugain y flwyddyn fod yn dymhestlog yma o'i gymharu â deng niwrnod ar lannau afon Menai.

*Arfbais Lloeau Llŷn*

# Daeareg

Un o nodweddion amlycaf daeareg Llŷn yw'r hen hen greigiau cyn-Gambriaidd ac fe welir sgistau a gneisau yn ymestyn o Nefyn hyd ben draw Llŷn. Nodwedd arall yw'r mynyddoedd ithfaen siâp côn – Garn Fadrun, Garn Boduan a chopaon yr Eifl. Creigiau ingeaidd o'r cyfnod Ordofigaidd ydynt ac yn enghreifftiau da o ganlyniad erydu gwahaniaethol. Y creigiau hyn sy'n rhoi caletwch i benrhynau megis Llanbedrog a Chilan. Mae Garn Fadrun yn enghraifft glasurol o *monadnock*, sef mynydd yn sefyll fel ynys ar lwyfandir. O'i gwmpas ceir gweddillion hen lefelau erydu sy'n amrywio mewn uchder o tua 250m lawr i lefel y môr. Un enghraifft yw'r estyniad llwyfan Menai sy'n cael ei dorri i Gors Geirch sy'n goridor yn ymestyn o Bwllheli i Edern. Y prif eglurhad am y llwyfannau yw'r erydu morol pan oedd lefel y môr yn llawer uwch nag ydyw yn awr.

Gwelir sawl effaith o Oes yr Iâ yn yr ardal, megis y gro yn y pyllau gro – tyddodion rhewlifol o un cyfnod. Cred rhai mai effaith arall yw ffurfiant Nant Gwrtheyrn a bod ceunant afon Soch wedi ei erydu gan ddŵr yn llifo tua'r gorllewin o'r iâ ym Môr Iwerddon. Ar ôl Oes yr Iâ newidiodd yr afon ei chwrs a symudodd ei haber o Borth Neigwl i'r un presennol yn Aber-soch.

Gwelir haenau trawiadol iawn yng nghreigiau gelltydd Porth Ceiriad a Thrwyn Cilan. Tarddodd yr haenau fel llithriadau o waddodion llaid (*turbidites*) ar waelod y môr dwfn. Cafwyd llithriad ar ôl llithriad nes adeiladwyd miloedd o droedfeddi o haenau gwaddodol.

Mae traethau'r gogledd o Drwyn Bodeilias i Drwyn y Gorlech yn wahanol iawn i draethau eraill Llŷn. Traethau cerrig ydynt gan mwyaf – cerrig crynion gwastad o faint amrywiol. Fe'u didolir gan y stormydd fel bod y cerrig brasaf i'w gweld wrth droed y gelltydd gan raddol fynd yn llai nes cyrraedd min y dŵr. Mae'r amrywiaeth o gerrig yn anhygoel a'r eglurhad am hynny'n ddiddorol. Disgynnodd y cerrig a welir yn y gelltydd pridd i'r traeth yn waddodion rhewlifol ar ôl tirlithriadau. Treiglodd y cerrig hyn o'r gogledd pell yn ystod Oes yr Iâ. Cafwyd tirlithriad anferth ym Mhistyll ym mis Ionawr 1998. Daeth y cerrig gwenithfaen sydd ar y traeth o'r mynyddoedd lleol a gwelir amrywiaeth yn eu lliw a maint y gronynnau sydd ynddynt. Daeth y cerrig du, y basalt, o ardal *y Giant's Causeway* yng ngogledd Iwerddon, a'r callestr miniog o'r un fan. O Fôn y daeth y calchfaen llwyd golau gyda ffosiliau cwrel ynddynt a'r tywodfaen cochaidd. Craig leol o darddiad folcanig o'r Eifl yw'r maen iaspis coch neu borffor llachar. Yn y cerrig o greigiau cyn-Gambriaidd Môn gwelir haenau tonnog gwyrdd a gwyn. Dyma un o'r mannau amlycaf yng Nghymru i astudio cerrig.

Dyma'r union draethau lle casglodd Adam Huws o Bistyll gyfran helaeth o'i gasgliad o greigiau. Treuliodd flynyddoedd yn gweithio mewn nifer o chwareli yng Nghymru a Lloegr a hynny a blannodd y diddordeb ynddo. Dyna wnaeth iddo

*Garn Fadrun*

ymddiddori mewn daeareg ac addysgodd ei hun i'r fath raddau nes dod yr arbenigwr y byddai darlithwyr coleg ar draws y byd yn dod ato i geisio'i farn.

Gwenithfaen o chwareli'r Eifl, Llanbedrog a Charreg yr Imbill, Pwllheli a gwaith Trwyn Dwmi, Aberdaron oedd y brif graig a gloddiwyd o ddaear Llŷn a hynny yn sgîl y galw mawr am sets i strydoedd dinasoedd Lloegr yn ystod y bedwaredd ganrif ar bymtheg. Ym Mynydd Carreg ger Porthor ac yn Llanllawen, Anelog roedd chwarel maen iasbis. Roedd un darn o graig a gludwyd oddi yno mor drwm nes y cwympodd Pont Nant yr Eiddon dan ei bwysau. Ym mhen gorllewinol traeth Aberdaron roedd Gwaith y Bompren lle cloddiwyd cwarts. Yng nghyfnod y ddau Ryfel Byd cloddiwyd manganîs yn ardal y Rhiw a bu peth cloddio glo o dan y rhostir yn Hebron rhwng Llangwnnadl a Rhoshirwaun. Yn ardal Bwlchtocyn a Llanengan a Thrwyn Cilan bu diwydiant cloddio plwm a pheth copr a sinc.

# Olion Cyn hanes

Ni cheir yn Llŷn olion o'r Oes Balaeolithig, sef Hen Oes y Cerrig, gan fod y cyfan wedi ei ysgubo i ffwrdd gan rewlifoedd Oes Olaf yr Iâ, rhywdro cyn 15000 C.C. Yn raddol ymfudodd y dyn cyntefig i Lŷn o'r de gan hela yn y coedwigoedd.

Cafwyd peth tystiolaeth fod dyn yn byw ac yn hela yn Llŷn yn ystod yr Oes Fesolithig, sef Oes Ganol y Cerrig (10000 - 4000 C.C.). Rhaid cofio bod lefel y môr gryn dipyn yn is nag ydyw heddiw ac felly collwyd safleoedd o'r cyfnod hwn. Darganfuwyd darnau o arfau callestr – pennau saethau a chrafwyr croen – ar draethau de Llŷn o Aberdaron i Bwllheli, ar elltydd y môr o gwmpas Braich y Pwll, ar Ynys Enlli, ar Fynydd y Rhiw, yn ardal Bwlchtocyn ac yng Nghilan, ac ar drwyn Llanbedrog cafwyd pen saeth. Cafwyd arfau ar lechweddau'r Eifl yng ngogledd y penrhyn hefyd.

Yn yr Oes Neolithig – o ddwy i bedair mil o flynyddoedd Cyn Crist – yr adeiladwyd y cromlechi mawrion a welir hyd heddiw yn Llŷn. Mae'n werthfawr cofio iddynt gael eu codi dros fil a hanner o flynyddoedd cyn yr adeiladwyd pyramidiau'r Aifft. Beddau teuluol a ddefnyddid dros genedlaethau oeddent efallai a chredir iddynt fod yn fannau claddu am fil a mwy o flynyddoedd. Cred rhai iddynt gael eu codi i ddibenion eraill ganrifoedd cyn y claddwyd neb ynddynt. Meini anferth a welir heddiw, ond gynt roeddent wedi eu gorchuddio â phridd a cherrig. Ceir cymysgedd o gynlluniau yng nghromlechi Môn a Dyffryn Conwy, ond mae cromlechi Llŷn ac Ardudwy yn fwy unffurf gan awgrymu bod y gymdeithas yma yn fwy sefydlog. Un o nodweddion cromlechi Llŷn yw'r meini porth tal oedd yn gwarchod siambr betryal. Caent eu toi â phenllech sydd fel arfer yn pwyso ymhell dros bum tunnell ar hugain. Sut, tybed, y symudwyd y cerrig i'w safleoedd presennol a sut y codwyd y cerrig ar ei gilydd? A naddwyd hwy i'w ffurfiau presennol? Ceir rhai tebyg yn nwyrain Iwerddon sy'n profi bod y dyn cyntefig yn forwr heb ei ail a bod teithio ar fôr yn hwylusach o lawer iddo na thryforio drwy goedwigoedd dilwybr.

Mae echelin hwyaf y rhan fwyaf o'r cromlechi yn rhedeg o'r de i'r gogledd a sylwyd fod eu penllechi yn goleddu 23½°, sef ongl goleddiad y ddaear mewn perthynas â'r haul. Mae nifer helaeth ohonynt wedi'u henwi fel pe i anrhydeddu'r Brenin Arthur neu i ddwyn anrhydedd ar y fro drwy honni perthynas â'r arwr Celtaidd. Yn ôl un ddamcaniaeth, cyfeirio at yr *Ursa Major* – clwstwr sêr yr Arth Fawr – a wneir, a Seren y Gogledd yn benodol. Ond sgwarnog arall ydi honno!

Gellir ymweld â'r cromlechi canlynol:

Tan y Muriau, Y Rhiw (SH 238288) – sy'n dangos datblygiad pensaerniol. Dilyn y ffordd heibio i Blas yn Rhiw ac fe welir arwydd llwybr cyhoeddus sy'n arwain at y fan.

Coeten Arthur, Cefnamwlch (SH 229345) – dilyn ffordd Tudweiliog i Sarn Mellteyrn. Mae'r gromlech ar y dde, yng nghanol cae wrth droed Mynydd Cefnamwlch.

*Coeten Arthur, Cefnamwlch*

*Tre'r Ceiri*

Trwyn Llech y Doll, Cilan (SH 300235) – rhwng Cilan Uchaf a gallt y môr. Penllech anferth yn unig sydd i'w gweld.

Bryn Parc, Llanbedrog (SH 325311) – ar ochr Mynydd Tir y Cwmwd ond mae'r gromlech yn ddadfeiliedig bellach.

Gromlech, Y Ffôr (SH 399384) – ar ochr dde y ffordd sy'n arwain i fferm Gromlech.

Ceir awgrym bod diwydiant cyntefig i gynhyrchu arfau cerrig wedi bod yma yn Llŷn yn ystod yr Oes Neolithig. Mae tystiolaeth y bu peth cynhyrchu ar elltydd Porth Pistyll yn Uwchmynydd (SH 161249) ac roedd y ffatri ar lethrau gogledd-orllewinol Mynydd y Rhiw (SH 234299) yn gynhyrchiol iawn hefyd. Astudiwyd natur y graig a phrofwyd y bu marchnata arfau yno. Darganfuwyd rhai o arfau'r Rhiw yng Ngwent.

Olion eraill o'r cyfnod cynnar hwn ac ymlaen i gyfnod diweddarach yr Oes Efydd sy'n gyffredin iawn yn Llŷn yw'r meini hirion. Cred rhai arbenigwyr mai meini i goffáu digwyddiadau o bwys neu gytundebau ydynt. Dywed eraill mai cerrig beddau i arweinwyr y llwythi ydynt ond nid oes fawr o dystiolaeth i gadarnhau hynny. Credir eu bod wedi eu codi yn hanner cyntaf yr ail fileniwm Cyn Crist.

Ond waeth beth a symbylodd y dyn cyntefig i'w codi, rhaid cytuno nad ar fympwy y dewiswyd eu lleoliadau ac iddynt gael eu llusgo o gryn bellter. Bu'n rhaid claddu traean o bob un o dan lefel y ddaear neu byddent yn bendrwm ac yn cwympo.

Mae nifer o feini hirion i'w gweld yn Llŷn – weithiau'n amlwg yng nghanol caeau a thro arall ynghudd mewn wal gerrig. Yn anffodus, mae amryw ohonynt wedi diflannu yn ystod y degawdau diweddar oherwydd ffermwyr sy'n gwrthod parchu eu hetifeddiaeth. Ond dyma rai a erys o hyd ac y gellir ymweld â nhw:

Tan y Foel, Y Rhiw (SH 226276) – carreg mewn wal gyferbyn â Than y Foel (hen gapel).

Pen y Bont Maenhir, Llangwnnadl (SH 208325) – ar y dde ar y B4417 (Tudweiliog i Aberdaron).

Plas ym Mhenllech, Penllech (SH 224345) – cilbost dwyreiniol adwy'r gadlas gyda siâp cwpanau wedi eu pantio ynddo.

Nant y Gledrydd, Madryn (SH 292365) – mewn cae ger Gefail Gledrydd.

Pandy, Nanhoron (SH 288323) – yng nghanol cae ar ochr ddwyreiniol dyffryn Nanhoron. Gwelir y maen hir hwn yn glir o'r ffordd o Felin Newydd i Ros Botwnnog.

Tir Gwyn, Llannor (SH 344390) – dau faen mewn un cae yn Nhir Gwyn.

Bodegroes, Efailnewydd (SH 358353) – yn wal Parc Bodegroes, yn nes at Efailnewydd na Phensarn. Gall fod yno i nodi terfynau stad Bodegroes.

Canolfan y Gwystl, Y Ffôr (SH 400389) – yng ngerddi'r Ganolfan.

Gwynus, Pistyll (SH 346420) – rhan o glawdd. Gellir ymweld â hi drwy ddilyn y ffordd sy'n arwain i Gwynus.

Penfras Uchaf, Llwyndyrys (SH 379416) – ger y fferm. Fe'i gelwir Maen Hir Trallwyn.

Ni cheir olion cylchoedd meini

seremonïol o'r cyfnod hwn yn Llŷn fel sydd i'w gweld ar ucheldir Arllechwedd a Meirionnydd.

Mae'r elfen 'carn' yn bur gyffredin yn enwau mynyddoedd Llŷn – Garn Fadrun, Garn Boduan, Carneddol a Charnguwch ac mae olion carneddi i'w gweld arnynt. Credir mai claddfeydd o'r Oes Neolithig neu'r Oes Efydd (2500 – 600 C.C.) oeddent ac y bu iddynt swyddogaeth seremonïol. Dyma leoliad y prif rai:

Mynydd y Rhiw (SH 229294) – yn agos i'r copa.

Yr Eifl, Garn Ganol (SH 364447) – ger y copa. Dilyn y ffordd o Lithfaen i Nant Gwrtheyrn ac i fyny tuag at Fwlch yr Eifl.

Carnguwch (SH 375429) – ar gopa Moel Carnguwch.

Rhwng 1800 C.C. a 600 C.C. gwelwyd fod dyn yn datblygu i lunio arfau ac offer efydd a lledaenodd y boblogaeth i'r ucheldir. Datblygwyd dull newydd o ymdrin â'r meirw drwy amlosgi cyrff a chladdu'r llwch mewn llestri pridd gan nodi safle'r bedd gyda charnedd. Darganfuwyd darnau o yrnau llwch ac esgyrn yn Llanbedrog a Nefyn ac yn 1993, tra'n cloddio rhwng Sarn Mellteyrn a Botwnnog, darganfuwyd cylchoedd claddu o'r Oes Efydd a chorff dynol yn nhir Bonithoedd.

Ar Fynydd yr Ystum rhwng Rhoshirwaun ac Aberdaron mae olion Castell Odo (SH 187284). Dyma fryngaer o'r Oes Efydd ac un o'r bryngaerau cynharaf yn Llŷn. Credir iddi gael ei chodi ar safle caer hŷn. Darganfuwyd crochenwaith pan gloddiwyd yma yn 1958-9 ac fe'u harddangosir yn Amgueddfa Bangor.

*Maen hir Plas ym Mhenllech*

Yn ôl un gred, difethwyd muriau'r fryngaer gan y Rhufeiniaid yn 78 O.C. a llosgwyd ei gwaith coed. Yn dilyn hyn, caniatawyd i'r trigolion ddychwelyd iddi.

Ymhlith creiriau eraill y daethpwyd o hyd iddynt ar y penrhyn mae bwyeill morthwyl a phennau gwaywffyn o Lithfaen, pen gwaywffon o Nant Gwrtheyrn a bwyeill o Aberdaron, Sarn Mellteyrn a Rhos-fawr.

Yn ystod y chwe chan mlynedd Cyn Crist dechreuodd dyn ddefnyddio haearn ac adeiladu caerau cerrig ar gopaon y bryniau. Mae olion y tai crynion hyn i'w gweld yn glir ac yn gyffredin yn Llŷn, ac er y cyfeirir atynt fel Cytiau Gwyddelod nid oes unrhyw dystiolaeth fod a wnelo'r Gwyddelod ddim oll â hwy. Ymhlith olion caerau yr Oes Haearn y rhai amlycaf yw:

Creigiau Gwinau, Y Rhiw (SH 228274) – saif mewn safle dramatig uwchben Porth Neigwl ac fe ddefnyddid y creigiau ysgythrog islaw fel amddiffynfa naturiol.

Garn Fadrun (SH 280352) – mae olion cytiau crynion a muriau i'w gweld yn amlwg ychydig islaw'r copa. Mae yma hefyd olion castell cynnar iawn a godwyd yn y ddeuddegfed ganrif gan feibion Owain Gwynedd.

Garn Boduan (SH 310393) – gellir gweld nifer sylweddol o gytiau crynion yma. Gan fod amddiffynfa naturiol y Garn mor effeithiol, go brin y byddai'n rhaid i'r trigolion boeni llawer am ansawdd a chyflwr muriau amddiffynnol y gaer. Bu'r ffaith fod yma ffynnon o fantais garw i'r trigolion mewn cyfnod o warchae.

Tre'r Ceiri (SH 373446) – ar yr Eifl yng nghwr gogleddol Llŷn. Dyma'r gaer enwocaf o'r cyfan ac yn wir, dyma un o brif gaerau Ewrop. Mae yma tua chant a hanner o olion cytiau o fewn mur amddiffynnol a welir yn glir o'r copa. Mae'r olygfa i bob cyfeiriad yn drawiadol, ar hyd arfordir y gogledd draw i gyfeiriad Caernarfon a Môn, i'r de ar hyd Pen Llŷn ac Eifionydd, a Meirion i'r dwyrain. Dyma'r union olygfa a gâi'r Celtiaid cynnar, ac wrth edrych ar hyd yr arfordir byddai eu llygaid petrus yn canolbwyntio ar Segontium, caer fawr y Rhufeiniaid yng Nghaer Saint. Rhwng 1990 ac 1994 bu Ymddiriedolaeth Archaeolegol Gwynedd yn ddiwyd iawn yn archwilio'r safle yn Nhre'r Ceiri a'i atgyweirio'n ofalus. Nodwyd pob carreg newydd a osodwyd â thwll.

Yn 1991 bu cloddio ym Mellteyrn

Uchaf, Sarn a darganfuwyd olion cytiau crynion o Oes yr Haearn yno.

Un o'r amddiffynfeydd arfordirol gorau yng Nghymru yw'r un sydd ar benrhyn Porth Dinllaen (SH 275416), er bod adeiladu'r ffordd uwchben Tŷ Coch wedi amharu arni yn ddirfawr.

Mae olion eraill yn Llŷn sy'n tystio bod datblygiad dynoliaeth wedi digwydd yno: yng Nghastell Ysgubor Hen (SH 304247) ar y dibyn uwchben y Pared Mawr ym Mhorth Ceiriad, yn Nant y Castell yn Llanbedrog (SH 321314) ac olion Pen y Gaer yn Abersoch (SH 298282), ac yn Llanbedrog (SH 323314). Cafwyd olion hefyd yn Anelog, Creigiau Iocws a Chlogwyn Bach ger Pwllheli, ger Saethon ym Mynytho, Gwynus a Charnguwch yn ardal yr Eifl ac ar Ynys Enlli.

Yn 1974 darganfuwyd angor llong gan ddeifar ym Mhorth Felen, Uwchmynydd. Credir yn siŵr mai o long fasnach un o wledydd Môr y Canoldir y daeth yn y ganrif gyntaf neu'r ail Cyn Crist. Dyma'r unig dystiolaeth fod y llongau hyn wedi mentro mor bell i'r gogledd. Arddangosir yr angor yn yr Amgueddfa Genedlaethol yng Nghaerdydd.

Ni ddaeth y Rhufeiniaid i Lŷn er y dywedir iddynt losgi Castell Odo ar Fynydd yr Ystum a gweithio'r mwynfeydd plwm yn y Penrhyn Du a Thanrallt, Llanengan. Roedd ganddynt gaer bwysig yn Segontium (Caernarfon) a chodwyd caer ym Mhen Llystyn yn ardal Dolbenmaen i warchod Llŷn. Pa mor ymwybodol oedd trigolion Llŷn o'r Rhufeiniaid o'r flwyddyn 60 O.C. ymlaen tybed? Ychydig o ddylanwad a gafodd dyfodiad y diwylliant Rhufeinig arnynt

*Olion y cytiau crynion ar Garn Boduan*

ac fe arhosodd Pen Llŷn yn annibynnol hunangynhaliol. Yn y man fe'u goresgynnwyd hwythau gan ddiwylliant a chrefydd newydd.

# Chwedloniaeth y Cerrig

## Coeten Arthur, Cefnamwlch

Dywed traddodiad i Arthur luchio'r penllech, y 'goeten', o ben Garn Fadrun i Fynydd Cefnamwlch a bod ei wraig wedi cario'r tair carreg yno yn ei barclod a'u gosod ar eu pennau i ddal y garreg fawr.

## Cromlech Penmaen

Unwaith bu cromlech ym Mhenmaen ger Pwllheli. Honnir i'r penllech gael ei thaflu yno unai o Harlech neu o Fynytho.

## Castell Odo a Charreg Samson

Cysylltir Odo Gawr â Chastell Odo ar Fynydd yr Ystum ger Aberdaron a'i fod wedi ei gladdu yma o dan carnedd gerrig. Cyfeirir hefyd at Sant Odo ac yn y cyffiniau roedd Ffynnon Odo a Chapel Odo. Yn agos i'r copa mae Carreg Samson a dywedir i Samson daflu'r garreg anferth hon yma o Uwchmynydd. Y tyllau yn y graig yw ôl ei fysedd. Mae nifer o feini yn dwyn yr enw Carreg Samson, dau mor agos â llethrau Garn Bentyrch ger Llangybi ac ym Mhorth-y-gest. Cyfeirir at yr olaf fel

Carreg Simsan. Mewn rhannau eraill o Gymru ceir sawl Carreg Sigl gan fod modd eu symud wrth eu cyffwrdd. Gelwid Maen Melyn Llŷn uwchben Ffynnon Fair yn Garreg Samson hefyd.

## Y Garreg Ddu

Taflwyd y garreg hon o ben Garn Fadrun i Fynydd y Rhiw gan gawres.

## Barclodiad y Gawres

Mae amryw o'r rhain mewn ardaloedd lle gwelir carneddi. Bu un ger Castell Odo. Dywedir bod cawresi wedi gollwng eu barclodiaid o gerrig yn y mannau hyn. Roedd un gawres am godi sedd iddi hi ei hun ym Mynytho ond dychrynodd wrth glywed clochdar ceiliog nes y gollyngodd y cerrig yn y fan a'r lle.

## Carnedd Moel Carnguwch

Mae carnedd ar ben Moel Carnguwch ger Llithfaen. Daeth Cilmyn Droed-ddu o hyd i gawres erchyll a oedd ar fin lluchio llond ei barclod o gerrig eiriasboeth ar ben caeau ŷd a llosgi'r cnydau islaw. Dychrynodd gymaint wrth weld Cilmyn nes gollwng y cerrig yn garnedd ar ben Moel Carnguwch.

# Oes y Seintiau

Pan ddaeth Cristnogion cynnar i Lŷn gosodasant sylfaen i'r gwareiddiad yr ydym ni'n byw ynddo heddiw. Dros y môr o'r gorllewin – o Iwerddon, Cernyw a Llydaw – y daeth y grefydd newydd yma a dylanwad yr Eglwys Geltaidd yn drwm arni. Ni threiddiodd dylanwad yr Eglwys Ladinaidd o ddeddwyrain Cymru o gwbl ac ni cheir yma eglwysi wedi'u sefydlu gan Cadog, Illtud na Dyfrig. Yn yr Eglwys Ladinaidd roedd 'Sant' yn deitl o statws anrhydeddus ond i'r Celt, roedd yn deitl a roddid i Gristion neu i aelod o lwyth eglwysig. Yn aml roeddent yn aelodau o un teulu. Daw hyn yn amlwg wrth gasglu hynny o wybodaeth sydd ar gael am nawddseintiau Llŷn.

Sefydlwyd cymuned feudwyaidd yn Aberdaron a hynny yng nghyffiniau Capel Anelog (SH 156274) yn y bumed ganrif, yng nghyfnod cynnar yr Eglwys Geltaidd. Mae'n debyg mai encilfan i'r clas hwnnw oedd Enlli ar y cychwyn ac mai yno y deuai gwŷr crefyddol a gredai y dylent neilltuo eu hunain i fywyd meudwyaidd. Datblygodd Enlli yn gyrchfan i fynaich encilio iddi pan deimlent fod eu bywyd yn tynnu i'w derfyn. Ymneilltuodd seintiau megis Deiniol a Dyfrig i'r ynys ac yno y buont farw yn ail hanner y chweched ganrif. Yn 1120 O.C. symudwyd esgyrn Dyfrig i Landaf a'u hailgladdu yno.

Yn eglwys Llanengan mae carreg goffa o'r bumed ganrif i Frenin Einion, nawddsant y plwyf, gor-ŵyr i Gunedda Wledig, tywysog Llŷn. Ef a sefydlodd y fynachlog gyntaf ar Enlli.

Ymlidwyd mynach o'r enw Cadfan o Lydaw. Glaniodd yn Nhywyn, Meirionnydd, sefydlu eglwys yno ac yn y man, croesodd o Fae Ceredigion i Lŷn a dod yn abad cyntaf y fynachlog ar Enlli. Digwyddodd hyn rhwng 516 a 542 O.C. yn yr union gyfnod y bu'r Brenin Arthur yn ymladd ym mrwydr Camlan. Ymhlith dilynwyr Cadafn yr oedd nifer o seintiau cyfarwydd fel Cynon, Padarn, Tanwg, Tydecho, Gwyndaf, Sadwrn, Lleuddad, Tecwyn a Maelrhys.

Roedd Gwenonwy yn chwaer i'r Brenin Arthur ac ar gyrion Porth Cadlan ger Aberdaron mae craig enfawr amlwg iawn o'r enw Maen Gwenonwy. Priododd Gwenonwy â Gwyndaf Hen ac fe'i claddwyd yntau ar Enlli.

Mab i Gwyndaf Hen a Gwenonwy oedd Henwyn, sef Hywyn, nawddsant eglwys Aberdaron. Hyfforddwyd ef yn Llanilltud Fawr a daeth yn beriglor i Cadfan.

Un o'r seintiau cryfaf ei ddylanwad ar Lŷn oedd Lleuddad, brawd Henwyn a Phadarn, y tri ohonynt wedi dilyn Cadfan o Lydaw. Bu dylanwad Lleuddad yn drwm ar Enlli ac ef a ddilynodd Cadfan yn abad yr ynys. Pan ymddangosodd angel i hysbysu Lleuddad y dylai baratoi ar gyfer ei farwolaeth, gosododd dri chais i'r angel. Un oedd gofyn am i fynaich Enlli, tra byddent yn ffyddlon i Dduw, gael mwynhau hir oes ar yr ynys ac mai o henaint yn unig y byddent farw. Daeth yn fan tra phoblogaidd ac yn encilfa i fynaich a ddymunai dreulio gweddill eu dyddiau yno. Dyna roes fod i'r traddodiad fod beddau ugain mil o seintiau ar yr ynys.

Ar Enlli mae cae union gyferbyn â'r capel o'r enw Gerddi Lleuddad, a Phlas Lleuddad oedd enw tŷ'r gweinidog. Nid nepell o Borth Cadlan mae Ogof Lleuddad lle dihangai'r sant i weddïo. Ym mhlwyf Bryncroes roedd Eglwys Lleuddad ac mae Ffynnon Lleuddad a Bryn Lleuddad yno o hyd.

Roedd Maelrhys yn gefnder i Cadfan. Dim ond un eglwys a sefydlwyd ganddo yn ôl pob tystiolaeth a honno yn Llanfaelrhys rhwng Aberdaron a'r Rhiw, lle mae Ffynnon Maelrhys hefyd.

Mab i Riwal Mawr a chefnder i Cadfan oedd Tudwal. Sefydlodd fynachlog ar Ynysoedd Tudwal a chysylltir ei enw â Thudweiliog gan awgrymu mai dyna darddiad enw'r pentref.

Ni sefydlodd Cybi eglwys yn Llŷn, ond dywedir iddo gael ei gladdu ar Enlli. Yn y môr nid nepell o'r lan ger Enlli mae Carreg Cybi ac un arall ger Porth Cadlan. Un o Gernyw ydoedd a Gwen, ei fam, yn chwaer i Non, mam Dewi Sant.

Roedd Medrawd, gwrthwynebydd Arthur ym Mrwydr Camlan, yn fab i Cawrdaf, un o brif gynghorwyr Arthur. Cawrdaf a sefydlodd eglwys Abererch. Mae Ffynnon Cawrdaf yn y plwyf a rhwng y Ffôr a Phencaenewydd mae Ffynnon Cadfarch yn agos i safle Capel Llangedwydd. Brawd Cawrdaf oedd Cadfarch.

Roedd Dyfrig yn ewythr i Arthur ac ef a'i coronodd yn frenin pan oedd yn bymtheg oed. Bu farw Dyfrig ar Enlli yn 546 O.C. Gallai'n hawdd fod ar Ynys Enlli pan ymladdwyd Brwydr Camlan ac yn dyst i'r ymgeledd a dderbyniodd Arthur pan ddygwyd ef yno ar ôl ei glwyfo.

Ymhlith y seintiau eraill a gladdwyd ar Enlli mae Deiniol, Trillo, Padarn, Mael, Meugant oedd yn frawd i Henwyn a Tudno.

Ymwelodd mynaich amlwg eraill â Llŷn yn eu tro gan ddod â'u cefnogwyr efo nhw. Beuno yw sant amlycaf gogledd Cymru, yr un mor ddylanwadol â Dewi yn y de, ac ef yw sant eglwysi Pistyll, Carnguwch, Deneio a Botwnnog. Mae'r ffaith iddo ef a'i ddilynwyr sefydlu cymaint o eglwysi yng ngogledd-orllewin Cymru, ym Môn yn ogystal ag yn Llŷn, yn tanlinellu hynny. Gwelir hefyd fod lleoliad eglwysi Beuno a'i ffynhonnau yn dilyn llwybrau'r ffyrdd Rhufeinig. Yna, wedi cyrraedd Segontium (Caernarfon), croesodd y Fenai i dde-orllewin Môn, sefydlu eglwysi yno a stribed ohonynt ar hyd yr arfordir gogleddol i lawr i Ben Llŷn. Yng Nghlynnog Fawr yn Arfon sefydlodd fynachlog o gryn bwysigrwydd lle'r arferai'r pererinion ymgynnull ar ddechrau eu taith flinedig a therfynol i Ynys Enlli.

Cysylltir enwau seintiau eraill oedd yn ddilynwyr i Beuno a phery eu henwau yn Llŷn o hyd: Aelhaearn yn Llanaelhaearn a Chwyfan yn Nhudweiliog, ac Edern. Crybwyllir enw Ceidio hefyd fel un o ddilynwyr Beuno. Wyres i Gwrtheyrn Gwrtheneu oedd Madren, a Cheidio yn fab iddi. Dihangodd Madren gyda'i mab o Nant Gwrtheyrn i ddiogelwch Garn Fadrun. Priododd Ynyr, brenin Gwent a chysylltir ei henw â Garth Madryn, ardal Talgarth ym Mrycheiniog heddiw.

*Eglwys Sant Hywyn, Aberdaron*

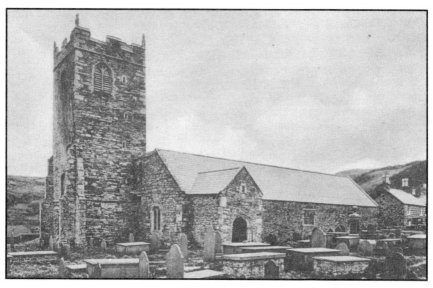

*Eglwys Llanengan*

Yn ôl un ffynhonnell, hi a sefydlodd Eglwys Santes Madryn yn Nhrawsfynydd. Ym mhlasty Glynllifon mae cerflun marmor o Madren a Cheidio yn ei breichiau. Aed â'r cerflun yno pan gaewyd y Coleg Amaethyddol ym Madryn yn 1952.

Roedd Tudwen, Llandudwen, yn un o bedair merch ar hugain Brychan, brenin Garth Madryn. Roedd yn chwaer i Meleri, a hithau'n nain i Dewi Sant. Merch arall i Brychan oedd Nefyn a roddodd ei henw i'r dref honno. Hi oedd nawddsantes yr eglwys hyd nes y dilynwyd y ffasiwn a'i chysegru i'r Santes Fair yng nghyfnod y Normaniaid.

Ychydig iawn o wybodaeth sydd am Cian, Llangïan. Gallai fod yn fardd a gysylltir â'r Gododdin yng Nghanu Aneurin, neu'n filwr. Nid oedd bod yn sant ac yn filwr yn anghyffredin bryd hynny.

Un o Gernyw oedd Iestyn ac fe sefydlodd nifer o eglwysi yno, yn ogystal â'r ddau Laniestyn yng Nghymru – y naill yn Llŷn a'r llall ym Môn. Roedd ei frawd, Cadwy, yn un o filwyr Arthur.

Darganfuwyd carreg yn Llannor a'r enw 'Vendestel' wedi ei naddu arni. Dyna ffurf gynnar yr enw Gwynhoedl. Tybed a godwyd corff Gwynhoedl a'i gladdu yn Llangwnnadl? Dywedir ei fod yn fab i Seithenyn, tywysog Cantre'r Gwaelod. Ar un o bileri eglwys Llangwnnadl gwelir y geiriau 'S GWYNHOEDL IACET HIC' sy'n nodi mai yma y rhoddwyd Gwynhoedl i orwedd.

Gall Merin, sant plwyf Bodferin, fod yn frawd i Gwynhoedl felly, gan ei fod yntau yn fab i Seithenyn.

Cysylltir enwau Cynwyl (St Cynfil, Penrhos) a Gwynin (Llandygwnning) â thywysog Celtaidd o'r enw Coel Godebog.

Dywedir bod Buan yn ŵyr i Llywarch Hen a'i fod wedi sefydlu ei eglwys ym Moduan ar Awst y 4ydd, 595 O.C.

Un o ddilynwyr Cadog oedd Pedrog (Llanbedrog) a ganolbwyntiodd ei genhadaeth, yn ôl pob tebyg, yn ne-orllewin Lloegr a Chernyw.

Coffeir Sant Aelrhiw yn eglwys y Rhiw ond nid oes gwybodaeth bellach amdano. Gerllaw'r eglwys mae Ffynnon Aelrhiw.

Mae eglwys Penllech bellach wedi ei chysegru i'r Santes Fair er y dywedir mai Belyn a'i sefydlodd yn y chweched ganrif. Dywedir y bu ef yn arwain gwŷr Llŷn pan fuont yn amddiffyn eu gwlad yn erbyn Edwin, brenin Bernicia. Mae ffermdy o'r enw Tyddyn Belyn gerllaw.

Mae eglwysi eraill yn Llŷn nad ydynt wedi eu sancteiddio i goffáu'r seintiau Celtaidd. Coffeir y Santes Fair yn Nefyn a Bryncroes, a Mair Magdalen ym Morfa Nefyn. Pedr yw nawddsant eglwys Pwllheli er mai eglwys gan Beuno oedd yn Deneio'n wreiddiol. Cysegrwyd eglwys Sarn Mellteyrn i 'Pedr ad Vincula', sef Pedr mewn Cadwynau (Pedr y Merthyr). Nawddsant eglwys newydd Nefyn yw Dewi Sant – hynny er anrhydedd iddo, nid am iddo sefydlu'r llan yma – ac fe gysegrwyd eglwys Llannor i'r Groes Sanctaidd.

*Eglwys Pistyll*

*Eglwys Llangwnnadl*

# Arthur ac Enlli

Nid oes yr un arwr chwedlonol a'r fath ramant yn ei gylch na'r Brenin Arthur a bu trigolion pob ardal ar hyd y blynyddoedd yn awyddus i gysylltu ei enw â chromlech, maen hir neu unrhyw draddodiad lleol. Ond codwyd yr holl henebion hyn filoedd o flynyddoedd cyn oes Arthur. Cysylltid ei enw â chlystyrau sêr megis clwstwr Seren y Gogledd *(Ursa Major)*, yr Arth Fawr neu Aradr Arthur, *Lyra* neu Delyn Arthur ac *Orion* – Llath (hudlath) Arthur. Cyfeiriwyd eisoes at Goeten Arthur, y goeten ar Fynydd Cefnamwlch. Enw arall ar yr aderyn Celtaidd, y frân goesgoch, sydd mor unigryw i Ben Llŷn yw Aderyn Arthur. Ar lethrau Garn Fadrun mae Bwrdd Arthur neu Fwrdd y Brenin.

Mae gwaith ymchwil diweddar *A Journey to Avalon* gan Chris Barber a David Pykitt (*Blorenge Books*, 1993) yn cynnig damcaniaeth hynod o anturus a gwerthfawr ac yn cefnogi traddodiad sy'n fyw yn Llŷn. Maent wedi casglu tystiolaeth ac yn dadlau'n gryf mai yn Llŷn, ger Porth Cadlan, yr ymladdwyd Brwydr Camlan ac mai Enlli oedd Ynys Afallon. Dywedir mai yn 537 neu 542 O.C., pan oedd Cadfan yn Enlli, yr ymladdwyd y frwydr hon rhwng y Brenin Arthur a Medrawd – un o farchogion y ford gron a drodd yn fradwr. Maent yn ymdrin â chyfnod sefydlu llannau Llŷn ochr yn ochr â Brwydr Camlan gan wneud hynny yn afaelgar a rhamantus. Nid ydynt yn honni bod yr ateb ganddynt ond llwyddasant i ddod â darnau'r jig-so at ei gilydd i lunio talp o draddodiad y gallwn ymhyfrydu ynddo.

Wedi sefydlu mai yng nghyffiniau Porth Cadlan yr ymladdwyd Brwydr Camlan ac y gallai teulu Arthur fod yn llygad-dyst i'r cyfan, rhaid dilyn y ddamcaniaeth mai i Ynys Enlli yr aed ag Arthur pan anafwyd ef yn ddifrifol yn y frwydr.

Mae traddodiad yn adrodd bod llong Arthur, Gwennan, wedi ei cholli yn Swnt Enlli neu yn y môr mawr i'r de-orllewin o'r ynys. Hen enw ar y Swnt oedd Ffrydiau Caswennan.

Cyfeirir at Ynys Afallon fel Ynys Afallach gan Sieffre o Fynwy, a dywedir mai Myrddin a Thaliesin aeth ag Arthur i Ynys yr Afalau i wella. Os oedd Arthur wedi ei anafu'n ddifrifol ym Mrwydr Camlan doedd neb am ei hambygio a mynd ag ef ar daith bell. Ar yr ynys rhoddwyd ef ar wely aur a gweiniwyd arno gan y dywysoges Morgan a'i naw morwyn. Mae traddodiadau eraill yn cefnogi ei gilydd i ddweud bod Myrddin wedi ei garcharu mewn castell gwydr ar Ynys Enlli gyda thri ar ddeg o drysorau Prydain. Cyfeirir hefyd at Annwn fel Caer Wydr. Er bod tir Enlli yn gynhyrchiol nid oes yno goed, ond gellid bod wedi tyfu afalau, symbol o ieuenctid tragwyddol, mewn tŷ gwydr. (Roedd y Rhufeiniaid, ganrifoedd ynghynt, wedi cynhyrchu gwydr.) Dyna egluro'r enw Ynys Afallen.

Yn ôl rhai llawysgrifau lleolir Afallon rhwng y Borth, Ceredigion ac Arklow yn Iwerddon. Yr unig fan tebygol felly yw Ynys Enlli a gallwn ninnau feddiannu'r traddodiad yn falch ac yn llawen!

*Ynys Enlli*

# Olion Cynnar Cristnogaeth

Mae bodolaeth eglwysi hynafol Llŷn a'r meini coffa ag arnynt arysgrifau yn brawf bod Cristnogaeth wedi cyrraedd yma mor gynnar â diwedd y bumed ganrif. Lladin yw'r iaith ar y cerrig coffa a'r arysgrifau. Nid oes tystiolaeth i Ogam gael ei ddefnyddio yn Llŷn.

Safai Capel Anelog (SH 156274) ym mhlwyf Aberdaron ac yno y darganfuwyd dwy garreg o'r chweched ganrif i goffáu dau offeiriad. Ar un garreg gellir darllen 'VERACIVS/PBR/HIC/IACIT' sy'n egluro bod Veracius yn gorwedd yma. Ar yr ail garreg arysgrifwyd 'SENACVS/PRSB/HICIACIT/CVMMVLTITV/FRATRVM' – yma y gorwedd Senacus yr offeiriad, gyda thyrfa o frodyr. Diogelwyd y meini hyn am flynyddoedd lawer ym mhlasty Cefnamwlch, Tudweiliog ond erbyn hyn maent wedi eu dychwelyd i eglwys Aberdaron ym mhen draw Llŷn.

Unwaith, bu'r garreg a welir ger drws eglwys Llannor yn gilbost i adwy'r fynwent. Dyna pam mae tyllau ynddi. Arni ceir arysgrifen o'r chweched ganrif – FIGVLINI FILI/LOCVLITI/HIC IACIT sef 'Yma y gorwedd Figvlini fab Locvliti'. Pwy oedd y ddeuddyn hyn o'r bumed neu'r chweched ganrif, tybed?

Yng Nghae Maen Hir (SH 343392) yn Llannor, yng nghyffiniau'r ddau faen hir, bu unwaith fedd a'i ddwy garreg ochr wedi eu harysgrifo. Codwyd sgerbwd o'r bedd oedd yn mesur dros saith troedfedd o daldra. Aed â'r meini i amgueddfa yn

*Carreg a ddarganfuwyd yng Nghapel Anelog ond sydd bellach yn eglwys Aberdaron*

Rhydychen tua 1895 ac yno y buont hyd nes y llwyddwyd i'w cael yn ôl i Lŷn i'w harddangos yn Oriel Glyn y Weddw, Llanbedrog. Cerrig coffa ydynt, un i VENDESETL, ffurf ar Gwynhoedl, a'r llall i IOVENALIS, mab Eternus – ffurf gynnar ar Edyrn ac Edern.

Ymfudodd Aliortus – gŵr o Elmet, ardal Geltaidd yng nghyffiniau Leeds – i ardal Llanaelhaearn yn y bumed ganrif, ac yno y bu farw. Nodir hyn ar ei garreg goffa a welir ar y wal ogleddol oddi mewn i eglwys y plwyf – ALIORTUS ELMETIACO(S)/HIC IACET. Ger llwybr y fynwent mae carreg arall o'r un cyfnod sy'n coffáu un o'r enw Melitus. Er nad yw'r arysgrifen mor ddiddorol â hynny, y gred ei bod yn dal i sefyll yn yr un fan ag y'i gosodwyd ganrifoedd lawer iawn yn ôl sy'n rhoi arbenigrwydd iddi.

Un o'r cerrig difyrraf o'r cyfnod cynnar yw'r un sy'n sefyll yn amlwg ym mynwent Llangïan. Arni mewn Lladin arysgrifwyd MELI MEDICI / FILI MARTINI IACIT. Coffáu meddyg o'r enw Melus, mab i Martinus, wna'r garreg hon, yr unig garreg yng Nghymru a Lloegr sy'n coffáu meddyg. Nid oedd y Cristnogion cynnar yn arfer nodi swyddi seciwlar ar gerrig beddi.

Ym Mhistyll, bron gyferbyn â'r arhosfan ar yr allt i lawr i gyfeiriad Nefyn, gellir archwilio'r clawdd am garreg o'r wythfed neu'r nawfed ganrif ac arni groes o fewn cylch (SH 319418). Rhaid chwilio'n ddyfal i ddod o hyd iddi.

# Crefydd

## Eglwysi Llŷn

Cyrhaeddodd y seintiau cynnar i Lŷn, eu maes cenhadol, gydag un bwriad yn unig, sef ennill trigolion y penrhyn i'w crefydd newydd.

Llwyddodd y seintiau hyn – y mwyafrif ohonynt yn ddisgyblion i unai Cadfan neu Beuno – i sefydlu eglwysi bron ym mhob cornel. Daliwn i arddel eu henwau hyd heddiw yn yr enwau Llanfaelrhys ac Edern ac arddelir seintiau eraill o'r un cyfnod yn Llangwnnadl a Llanbedrog.

Y drefn oedd i'r mynach gael darn o dir, gan uchelwr efallai, ac o fewn y darn hwnnw byddai'n codi cell fechan a fyddai'n ganolbwynt ysbrydol i'r ardal. Dyna'r elfen 'llan' ac yna ychwanegid enw'r sant. Datblygodd nifer o eglwysi arfordir y gogledd megis Pistyll a Llangwnnadl yn fannau gorffwyso ac addoli i'r pererinion ar y daith flin o Glynnog i Enlli. Deuai pererinion eraill o gyfeiriad Meirionnydd gan alw mewn llannau megis Llanengan a Llanfaelrhys ar eu taith.

Yn ystod teyrnasiad Gruffudd ap Cynan (*c.*1055-1137) gwelwyd dymchwel yr eglwysi coed a rhai cerrig yn cael eu codi yn eu lle. Gwyngalchwyd hwy ac edrychent – medd awdur hanes bywyd Gruffudd ap Cynan – 'fel y ffurfafen o sêr'. Mae porth eglwys Aberdaron yn dystiolaeth o adeiladwaith o'r cyfnod Normanaidd hwn.

Mae'r nawddseintiau a briodolir i rai eglwysi ar yr olwg gyntaf yn peri inni dybio iddynt gael eu sefydlu mewn cyfnod diweddarach. Eglwysi i'r Santes Fair sydd ym Mhenllech a Bryncroes, wedi eu henwi felly yn dilyn ffasiwn yr Oesoedd Canol. Ond credir y bu Eglwys Belyn ym Mhenllech ac Eglwys Lleuddad ym Mryncroes. Gellir tybio hefyd fod arwyddocâd sanctaidd i'r elfen 'croes' yn enw'r pentref. Dangosodd yr eglwys yn Llanfihangel Bachellaeth deyrngarwch i'r Archangel Mihangel a dilyn ffasiwn yr Oesoedd Canol. Dilyn patrwm yr oes wnaed yn Llannor hefyd, lle mae'r eglwys wedi ei sancteiddio i'r Groes Sanctaidd, ac yn Sarn Mellteyrn coffawyd Pedr Mewn Cadwynau. Yn 1834 codwyd Eglwys Sant Pedr ym Mhwllheli, gan ddilyn ffasiwn anghymreig yr oes. Beuno oedd sant gwreiddiol y plwyf.

Cred rhai mai dylanwad Beuno a'i ysbryd milwriaethus ef sydd i gyfrif am y ffaith fod cymaint o eglwysi Llŷn wedi newid eu nawddseintiau er mwyn ei goffáu ef a'i ddilynwyr. Newidiwyd eglwys Tudweiliog o Tudwal i Cwyfan, Botwnnog o Gwynnog i Beuno a Charnguwch o Cuwch.

Yn y bedwaredd ganrif ar ddeg ymledodd y Pla Du drwy'r wlad a daeth dirywiad economaidd yn ei sgîl. Ni welwyd rhagor o adnewyddu eglwysi am gyfnod hyd nes y gwawriodd teyrnasiad y Tuduriaid. Ychwanegwyd ystlysau yn eglwysi Aber-erch, Aberdaron, Llanengan a Llaniestyn a dwy yn Llangwnnadl. Ychwanegwyd tŵr at eglwysi Llannor a Llanengan a changell yn Llanbedrog. Adeiladwyd rhannau gogleddol a deheuol eglwys Llanaelhaearn pan ddaeth galw am ehangu a chodwyd eglwys newydd yn Llandudwen yn

*Sgrîn yn ystlys ddeheuol Eglwys Llanengan*

*Capel Newydd, Nanhoron*

1595.

Yn dilyn cyfnod arall o ddiddymdra aed ati eto i ddymchwel eglwysi a chodi rhai newydd yn y bedwaredd ganrif ar bymtheg yn Aberdaron, Nefyn, Bodferin a Llithfaen.

Mae nifer o eglwysi wedi cau ac eraill yn cynnal gwasanaethau Saesneg yn unig. Caewyd eglwysi Carnguwch a Llandygwnning ers tro. Trowyd eglwysi Llithfaen a Bodferin yn dai a dyma fydd tynged eglwys Ceidio. Collodd yr adeilad ei ddefnydd gwreiddiol ond trwy hyn cedwir yn fyw bensaernïaeth a chysylltiadau hanesyddol. Adfail chwaethus yw eglwys Sarn Mellteyrn bellach, gan iddi, oherwydd ei chyflwr, gael ei dymchwel. Yr un fu tynged Eglwys Beuno yn Deneio, Pwllheli. Dymchwelwyd eglwys Aber-soch yn llwyr.

Gwelir pensaernïaeth o gyfnod cyn y Diwygiad Protestannaidd ar ei orau yn eglwysi Aberdaron, Llanfaelrhys, Llangïan, Llanengan, Llanbedrog, Aber-erch, Llannor, Llaniestyn, Llangwnnadl a Phistyll.

Mae tair Eglwys Babyddol yn Llŷn – ym Mhwllheli, Morfa Nefyn ac Aber-soch. Ceir cynulleidfaoedd niferus iawn ynddynt yn ystod yr haf. Ceir eglwys hefyd yng ngwersyll y Pwyliaid ym Mhenyberth.

## Capeli Llŷn

Bu amryw o wŷr Llŷn yn amlwg yn y Diwygiad Protestannaidd: Richard Vaughan o Nyffryn a fu'n Esgob Bangor yn cynorthwyo William Morgan i gyfieithu'r Beibl, a Henry Rowlands o Fellteyrn, hefyd yn Esgob Bangor ac yn brif ysgogwr sefydlu Ysgol Botwnnog. Un a ddylanwadodd yn fawr oedd Henry Maurice (1634-82) o Methlam a adnabyddid fel Apostol Brycheiniog. Ildiodd ei urddau eglwysig a throi at yr Anghydffurfwyr gan fynd ar deithiau pregethu a chyhoeddi ei neges mewn adeiladau didrwydded, mynwentydd a hyd yn oed geisio pregethu mewn eglwysi.

Bu nifer o Biwritaniaid amlwg iawn ymhlith uchelwyr Llŷn, pobl fel Sieffre Parry, Rhydolion, Richard Edwards, Nanhoron ac aelodau teuluoedd Madryn a Chastellmarch.

Sefydlwyd achos cyntaf yr Annibynwyr yn Llŷn ym Mhwllheli yn 1646. Yn 1672 rhoddwyd trwydded i addoli ym Modfel ac yng nghartref gŵr dylanwadol iawn o'r enw John Williams yn Llangïan. Cofrestrwyd Lôn Dywyll, Llangïan fel tŷ cwrdd ymneilltuol yn 1689. Llysenw oedd hwn gan fod dynion yn cau eu llygaid yno wrth iddynt weddïo. Agorwyd y Capel Newydd, Nanhoron yn 1772.

Ymwelodd Howell Harris â Llŷn am y tro cyntaf yn 1741 a chafodd amser cythryblus iawn yma. Ond cofir am ei seiadau yn Nhudweiliog a'i bregethau yn Llanfihangel a Rhydolion. Codwyd y capel Methodistaidd cyntaf yn Nhŷ Mawr, Bryncroes yn 1752 trwy symbyliad Siarl Marc a chynhaliwyd seiadau dylanwadol yn Lôn Fudur, Dinas. Datblygodd y Methodistiaid i fod yr enwad mwyaf niferus yn Llŷn.

Yn 1776 yr ymwelodd David Evans, Dolau â Llŷn a phregethodd yn y Capel Newydd, Nanhoron. Dyna bregeth gyntaf y Bedyddwyr yn yr ardal hon. Agorwyd y capel cyntaf yn Llŷn ym mhlwyf Aber-erch yn 1784. Ceir cofnod am y bedydd cyntaf yn 1783 yn yr afon ger Pont-y-Gof,

Botwnnog, ddwy flynedd cyn agor Capel Ty'n Donnen. Yno yr ordeiniwyd Christmas Evans (1766-1838). Erbyn 1816 roedd gan y Bedyddwyr gapel ym Mhentrepoeth, Pwllheli. Ffurfiwyd eglwys dan ddylanwad J.R. Jones Ramoth yn Cae How, Bryncroes gan y Bedyddwyr Albanaidd.

Cafwyd pregeth gyntaf y Wesleaid yn Llŷn yn Aberdaron a Nefyn yn 1802 ac ymhen blwyddyn pregethodd Edward Jones, Bathafarn ym Mhenlan Fawr, Pwllheli ac o ben cadair yn nrws Sarn Fawr, Sarn Mellteyrn. Ymsefydlodd Wesleaid Aberdaron ym Mryn Caled yn 1804. O fewn dwy flynedd roedd capel wedi ei godi rhwng Stryd Penlan a Chapel Penlan ym Mhwllheli. Un o addoldai Wesleaidd amlycaf Llŷn yw Capel y Tyddyn ar lethrau Mynydd y Rhiw lle cynhelir cymanfa bregethu yn flynyddol.

Yn ystod ail hanner yr ugeinfed ganrif gwelwyd dirywiad yn y niferoedd sy'n mynychu oedfaon y capeli. Canlyniad hyn fu i lawer iawn ohonynt gau a dyna fydd patrwm y dyfodol hefyd mae'n debyg. Lluniwyd cynllun strategaeth gan y Presbyteriaid fel modd i gynllunio ar gyfer y dyfodol. Fodd bynnag, gwelir llawer o gydweithio rhwng yr eglwysi ar draws yr enwadau ac yn 1987 ffurfiwyd gofalaeth ardal yng nghyffiniau Botwnnog lle bugeilir ar y Presbyteriaid a'r Eglwys yng Nghymru gan y person plwyf. Yn 1998 ymunodd tri chapel Presbyteraidd Pwllheli i ffurfio Capel y Drindod.

**Addoli**
(Cynhelir gwasanaethau Cymraeg yn wythnosol oni nodir yn wahanol.)

**Aberdaron**
Eglwys Sant Hywyn
Capel Salem (E.F.) – yn yr haf
Capel Deunant (Presb.)
Capel Carmel (B) – Diolchgarwch

**Aber-erch**
Eglwys Sant Cawrdaf
Capel Isaf (Presb.)
Capel Ebenezer (Ann.)

**Aber-soch**
Capel Aber-soch (Ann.)
Capel y Graig (Presb.)

**Botwnnog**
Eglwys Sant Beuno (2/4 Sul)
Capel Rhydbach (Presb.)

**Bryncroes**
Eglwys y Santes Fair
Capel Bethel (Ann.)
Capel Tyddyn (E.F.) achlysurol
Capel Tŷ Mawr (Presb.)

**Bwlchtocyn**
Capel Bwlchtocyn (Ann.)

**Ceidio**
Capel Peniel (Ann.)

**Cilan**
Capel Bethlehem (Presb.)

**Dinas**
Capel Dinas (Presb.)

**Edern**
Eglwys Sant Edern (1/3 Sul)
Capel Edern (Presb.)

**Efailnewydd**
Capel Berea (Presb.)

**Garn Fadrun**
Capel Garn Fadrun

**Llanbedrog**
Eglwys Sant Pedrog (dwyieithog)
Capel Seion (Ann.)
Capel Rehoboth (E.F.)
Capel Peniel (Presb.)

**Llanengan**
Eglwys Sant Engan (dwyieithog)
Capel Bwlch (Presb.)

**Llanaelhaearn**
Eglwys Sant Aelhaearn
Capel y Babell (Presb.)

**Llangïan**
Eglwys Sant Cian
Capel Smyrna (Presb.)

**Llangwnnadl**
Eglwys Sant Gwynhoedl (dwyieithog)
Capel Hebron (Ann.)

**Llaniestyn**
Eglwys Sant Iestyn (1/3 Sul)
Capel Rehoboth (Ann.)

**Llannor**
Eglwys y Grog Sanctaidd (dwyieithog)
Capel Bethel (Presb.)

**Llithfaen**
Capel Tabor (Bed.)
Capel Isa (Presb.)

**Llwyndyrys**
Capel Llwyndyrys (Presb.)

**Morfa Nefyn**
Eglwys y Santes Fair (1/3 Sul)
Capel Moriah (Presb.)
Capel Caersalem (Bed.) (achlysurol)

**Mynytho**
Capel Horeb (Ann.)
Capel Carmel (E.F.)

**Nefyn**
Eglwys Dewi Sant (2/4 Sul)
Capel Soar (Ann.)
Capel Seion (Bed.)
Capel Moriah (E.F.)
Capel Isa (Presb.)

**Nanhoron**
Capel y Nant (Presb.)

**Neigwl**
Capel Neigwl (Presb.)

**Penllech**
Eglwys y Santes Fair
    (dau wasanaeth: gwanwyn/hydref)
Capel Penllech (Presb.)

**Penrhos**
Capel Bethel (Presb.)

**Pentre-uchaf**
Capel Pentre-uchaf (Presb.)

**Penycaerau**
Eglwys Llanfaelrhys

**Pistyll**
Capel Bethania (Presb.)

**Pwllheli**
Eglwys Pedr Sant
Eglwys Sant Joseff (Pabyddol)
    (Nos Sadwrn)
Capel Penlan (Ann.)
Capel Tabernacl (Bed.)
Capel Seion (E.F.)
Capel y Drindod (Presb.)
Crynwyr (yng Nghapel y Drindod yn fisol)

**Y Rhiw**
Capel Pisga (E.F.)

**Rhos-fawr**
Capel Penuel Tyddyn Sion (Bed.)

**Rhoshirwaun**
Capel Bethesda (Bed.)
Capel Rhydlios (Presb.)

**Rhydyclafdy**
Capel Rhydyclafdy (Presb.)

**Sarn Mellteyrn**
Capel Salem (Presb.)

**Tudweiliog**
Capel Tudweiliog (Presb.)

**Uwchmynydd**
Capel Horeb (E.F.) (achlysurol)
Capel Uwchmynydd (Presb.)

**Y Ffôr**
Capel Salem (Ann.)
Capel Ebeneser (Presb.)

**Ynys Enlli**
Abaty Santes Fair (haf: achlysurol)
Capel Enlli (achlysurol)

# Dylanwad y Môr

Mae'n amlwg fod y môr wedi dylanwadu'n drwm iawn ar Lŷn ar hyd y canrifoedd. Môr oedd y briffordd a Llŷn mewn safle manteisiol iawn i fasnachu ag Iwerddon, gorllewin yr Alban, de Cymru a sir Gaerhirfryn.

Llwybrau neu lonydd troliau oedd yn cysylltu ardaloedd Llŷn ac mae'n debyg mai'r porthmyn oedd yr unig drigolion yn y cymdeithasau hunan-gynhaliol a welai'r angen am ffyrdd gwell. Datblygodd yr angen am ragorach a chyflymach dulliau o deithio ar dir a sefydlwyd cwmnïau tyrpeg yn y bedwaredd ganrif ar bymtheg.

Bu trigolion Llŷn yn pysgota – pysgota penwaig yn enwedig – ac yn dal crancod a chimychiaid am ganrifoedd cyn cof. Y rhain, yn ogystal â chynnyrch amaethyddol, fu prif allforion y trigolion.

Yn Nefyn yn 1293 caed dau gwch pysgota gwerth ugain swllt yr un a dau gwch llai gwerth 13/4 yr un. Roedd trigain ac wyth o rwydau gwerth dau swllt yr un yno hefyd. Pum swllt oedd gwerth ceffyl neu ych bryd hynny. Enwir Aberdaron fel un o brif borthladdoedd pysgota penwaig gogledd Cymru yn y cyfnod hwn. Allforid penwaig o Bwllheli a Phorth Dinllaen ac felly rhaid oedd mewnforio halen i'w halltu a chasgenni i'w pacio.

Ceir sôn am chwe llong yn dod o Ffrainc i Lŷn gyda llwythi o win a pherlysiau yn 1405.

Gwyddom yn dda cystal morwyr oedd y seintiau – roeddent nid yn unig yn hwylio'r Swnt peryglus i Ynys Enlli ond yn mynd hefyd ar deithiau cenhadol i Iwerddon a hynny mewn cychod tebyg i goryglau mae'n debyg.

Mae *Brut y Tywysogyon* yn adrodd bod gwŷr Dulyn wedi ymosod ar Lŷn a dinistrio eglwys Clynnog Fawr yn y ddegfed ganrif.

Yn yr unfed ganrif ar ddeg o Aberdaron y ffodd Gruffudd ap Cynan i Iwerddon a dychwelyd i Nefyn. Dihangodd Gruffudd ap Rhys rhag Gruffudd ap Cynan o Aderdaron ar draws Bae Aberteifi i ddiogelwch Dyffryn Tywi.

Yn 1524 lluniwyd rhestr o borthladdoedd lle'r oedd gan longau ganiatâd i lanio ynddynt:

*the bay of Dynlley betwene karrek y llan and the barre of Carn'*
*the bay between Karrek y llam and penrryn Dynllayn*
*the Crik of abergyerch*
*the Crik of porth yskadan*
*the Crik of porth y Gwylen*
*the Crik of porth ychen*
*the Crik of porth penllegh*
*the Crik of porth Colmon*
*the Crik of porth Veryn*
*the Crik of porth Yeagowe*
*the Crik of porthor and the Ile of Bardsey*
*the Crik of porth Muduy*
*the bay of Aberdaron*
*the bay of Nygull*
*the Roode of the two Ilonder of Stidwall*
*the Crik of Aber Soigh*
*the bay Castellmarch*
*the baye od stydwalles to the geist*
*the havyn of pullele in the myddes of the said baye*

Yn 1620 boddwyd yr hen fardd

*Un o longau'r glannau yn dadlwytho ar draeth yn Llŷn*

*Harbwr Pwllheli*

Sion Phylip ym Mhwllheli pan oedd ar groesi i Feirionnydd. Cludwyd ei gorff i Fochras i'w gladdu a chanodd ei fab Gruffudd Phylip iddo:

> O fwynion ddynion bob ddau –
>   cyfarwydd
> Cyfeiriwch y rhwyfau;
> Tynnwch ar draws y tonnau
> A'r bardd trist yn ei gist gau.

Yn amser y Diwygiad Methodistaidd hwyliodd pobl Llŷn ar draws Bae Ceredigion i sasiwn yn Llangeitho a'r Bedyddwyr i gymanfa yng Ngheinewydd.

Daeth cyfnod y môr-ladron ac ni fuont yn ddieithr i lannau Llŷn. Pan ddaeth Ynys Enlli yn eiddo i Syr John Wyn ap Huw o Fodfel dywedwyd yn 1569 mai ef oedd 'pen gapten peiratiaid Ynys Enlli'. Yno roedd ganddo brif swyddog o'r enw William Morgan a byddai hwnnw'n gwerthu yr ysbail yn ffeiriau a marchnadoedd Caer. Gan ei fod yn gyfeillgar â phrif deuluoedd sir Gaernarfon ni feiddiai neb ddwyn tystiolaeth yn ei erbyn!

Cyhuddwyd pobl Pwllheli yn 1602 o fod 'bob amser yn noddwyr a chynorthwywyr i ladron môr'. Cyhuddwyd pobl Llŷn o werthu menyn a chaws i fôr-ladron o Dunkirk ym Mhwllheli.

Yn yr ail ganrif ar bymtheg daeth bri ar fân borthladdoedd Llŷn pan fyddai'r llongau hwylio bychain yn galw i gasglu cynnyrch amaethyddol – menyn, caws, ceirch a moch. Fel y datblygodd hyn daeth nwyddau dieithr i gartrefi Llŷn. Hwyliodd y *Speedwell* – un o longau Porth Dinllaen – o Gaer i Borth Dinllaen yn 1623 gyda llwyth o gopras, hopys, pupur, logwd (pren o America a ddefnyddid i lifo dillad), lliain a phibelli baco. Yn y llwythi cymysg eraill roedd gratiau, llestri pridd, meginau, llusernau, canhwyllau, finegr, triog, siwgwr, hetiau ffelt, sodlau pren, fframiau cyfrwyon, pladuriau a chrymanau. Mewnforid hefyd gasgenni gweigion i'r penwaig, canhwyllau gwêr a lliain o Iwerddon.

Allforid penwaig wrth gwrs, rhai gwynion a chochion. Yn 1623 daeth cennad o Gastell Gwydir i Lŷn i brynu penwaig, ond gan mai mynd a dod y byddai'r heigiau penwaig o flwyddyn i flwyddyn, digon annibynadwy oedd y fasnach. Rhaid fu mewnforio penwaig wedi'u halltu o Ynys Manaw yn 1831. Fel arfer byddai llongau o Ynys Manaw yn dod i Fae Ceredigion i bysgota gan dreulio rhai dyddiau ym Mhwllheli. Mae Penwaig Nefyn wedi bod yn enwog ar hyd yr oesau. Dywedodd Lewis Morris fod pum mil o gasgenni o bysgod hallt wedi mynd o Nefyn yn 1747. Un o'r dadleuon dros adeiladu'r ffordd dyrpeg o Lŷn i Lundain oedd y byddai'n hwyluso cludo'r penwaig i'r farchnad. Daliodd pysgotwyr Nefyn ormodedd unwaith fel y bu'n rhaid eu taenu ar y caeau fel gwrtaith. Dywedwyd y bu prinder ar ôl hynny am iddynt bechu yn erbyn y Bod Mawr am wastraffu'r pysgod!

Yn ôl Thomas Pennant, nid oedd tir Llŷn yn cael y sylw angenrheidiol gan fod y ffermwyr yn gwastraffu gormod o amser yn pysgota. Cwynodd sgweiar Cefnamwlch yn yr un modd wrth ei denantiaid.

Rhaid fyddai dod â halen i Lŷn ar gyfer halltu'r penwaig, llawer ohono o Iwerddon. Roedd y dreth ar yr halen yn afresymol. Câi'r cynhyrchwr £1 y dunnell amdano yn niwedd y ddeunawfed ganrif ond byddai treth o £12 y dunnell ar ei ben wedyn. Datblygodd smyglo halen yn sgîl hyn ac nid rhyfedd mai tlodion Llŷn a gâi eu dal a'u carcharu a'u teuluoedd mawr gartref yn dioddef.

Mewnforid glo mor gynnar â 1588 pan ddaeth llwyth ohono o Ddinbych-y-pysgod i Bwllheli. Adeiladwyd ierdydd glo ym mhorthladdoedd bychain Llŷn – Porth Ysgaden a Phorth Colmon. Nodwyd yn llyfrau log ysgol Nefyn y bu'r ysgol ar gau am ddyddiau un tro am nad oedd y llong lo wedi cyrraedd.

Roedd odynau calch yn fwy niferus nag ierdydd glo ac fe'u hadeiladwyd fel arfer mor agos â phosibl i lanfa'r llong. Rhaid oedd cael cwlm, sef glo mân i losgi'r calch, a deuai hwnnw yma yn yr un modd, o Gaer i gychwyn ac yna o dde Cymru.

Deuai sôp wast yn falast ar longau o Iwerddon a pha ryfedd y gelwid ef yn 'Dail Iwerddon' gan y byddai'r ffermwyr yn falch iawn o'i gael i'w daenu fel gwrtaith ar y tir. Deunydd a deflid ymaith o'r diwydiant cynhyrchu sebon ydoedd ac yn aml byddai'n gymysg ag ysbwriel siopau a charthion strydoedd.

Daeth llosgi rhedyn a gwymon yn ddiwydiant pur boblogaidd yn y ddeunawfed ganrif. Gwerthid y lludw i wneud potash ar gyfer y diwydiant sebon yn Lerpwl, Bryste a Whitehaven.

Daliai pobl Enlli gimychiaid a chrancod a chystal eu llwyddiant fel y byddent yn mynd yr holl ffordd i Lerpwl i'w gwerthu. Aeth Dic Aberdaron i Lerpwl fwy nag unwaith yng nghwch pysgota ei dad.

Gyda datblygiad chwareli codwyd glanfeydd yn ardal yr Eifl, Llanbedrog a Phwllheli i lwytho sets ar gyfer strydoedd Lerpwl a dinasoedd eraill Ewrop, ac yn ardal y Rhiw gwelwyd llongau yn llwytho manganîs adeg y Rhyfel Byd Cyntaf. Bu llongddrylliadau yn gymorth i godi safonau byw trigolion yr arfordir. Gallai llong ac arni gargo cymysg ddod i'r lan a chyflenwi cartrefi Llŷn gydag amrywiaeth o foethau. Yn ôl tystiolaeth Thomas Williams o Dudweiliog, aeth yn llaw ei fam i weld y *Weaver* a laniodd ar Draeth Tywyn yn 1859, noson y *Royal Charter,* a dweud 'Ni welais yr un llongddrylliad yn amhoblogaidd'!

Ychydig o drigolion Llŷn sydd bellach yn dibynnu ar bysgota am eu bywoliaeth ond deil gosod cewyll i ddal cimychiaid mor boblogaidd ag erioed. Yr unig longau masnach a welir ar yr arfordir yw tanceri olew ymhell ar y gorwel. Daeth tancer y *Kimya* i ymochel i gyffiniau Tudweiliog yn 1991 gyda llwyth o olew llysieuol arni. Er iddi lwyddo i wrthsefyll stormydd Bae Vizcaya ychydig ddyddiau ynghynt, trowyd hi ar ei hochr gan foroedd Llŷn a boddwyd deg o'i chriw.

Mae hwylio o ran pleser mor boblogaidd ag erioed. Cafodd Eifion Owen o Chwilog dystysgrif y *Guiness Book of Records* am hwylfyrddio yn ddi-baid o Borthor i Wicklow, Iwerddon mewn saith awr yn 1989. Adeiladwyd marina moethus ym Mhwllheli a da gweld hwylwyr lleol yn chwarae rhan amlwg yn rheolaeth y Clwb Hwylio. Sefydlwyd CHIPAC hefyd ym Mhwllheli, sef Clwb Hwylio Ieuenctid Pwllheli a'r Cylch. Mae'n bleser gweld y plant, naw oed a hŷn, yn dysgu

*Chwarel Trefor*

hwylio'n fedrus yn yr *optomists* allan yn y bae. Mae hwylio o Aber-soch yn dal yn boblogaidd iawn er bod y datblygiad ym Mhwllheli wedi effeithio arno. Yn Aberdaron mae pencadlys Clwb Hwylio Hogia Llŷn a hwythau'n rasio eu cychod pren lleol.

# Ffynhonnau

Ceir tai a ffermydd yn dwyn enwau megis Bryn Ffynnon, Ty'n Ffynnon a Llwyn Ffynnon bron ym mhob ardal, wedi eu lleoli fel arfer gerllaw ffynnon lle câi'r trigolion ddŵr glân i'w yfed. Ar hyd y canrifoedd credwyd fod gan y ffynhonnau werth cyfriniol lle gallai'r dŵr wella afiechydon neu fod yn gyfryngau proffwydo, a hynny'n aml mewn perthynas â nawddsant plwyf. Mae lle i gredu bod gan y trigolion, cyn dyfodiad Cristnogaeth, ffydd yn y ffynhonnau hyn a'u bod wedi eu cysylltu â duwiau a duwiesau paganaidd, ond gyda dyfodiad Cristnogaeth meddiannodd y seintiau a'r grefydd newydd hwy a daethant yn ganolfannau addoliad. Codwyd llannau arnynt a gwelir llawer ohonynt heddiw yn gymharol agos i eglwys, megis Ffynnon Aelrhiw (SH 242295) yn y Rhiw, ffynnon betryal o waith cerrig. Roedd iddi werth feddyginiaethol ar gyfer gwella 'Man Aeliw' – anhwylder ar y croen.

Gwyddom am yr amrywiaeth o anhwylderau a ddiflannai pan ymwelid â ffynhonnau yn Llŷn fel ym mhob rhan arall o Gymru. Aed ati i ofalu am y cleifion a ymwelai â'r ffynhonnau drwy osod meinciau carreg iddynt orffwyso arnynt, waliau a tho i'w gwarchod a grisiau yn arwain i lawr i'r dŵr.

Yn Ffynnon Aelhaearn, Llanaelhaearn (SH 384446), arferai'r cleifion eistedd ar fainc garreg gerllaw yn disgwyl am 'gynhyrfiad y dyfroedd'. Pan ddigwyddai hynny aent i'r dŵr ac ymolchi ynddo. Codwyd waliau o'i chwmpas a rhoddwyd to arni ar ddechrau'r ugeinfed ganrif a bu'n cyflenwi dŵr i'r pentref.

Bellach mae Ffynnon Cawrdaf (SH 391375) ym mhlwyf Aber-erch wedi ei hamgylchynu â waliau brics coch. Gallai dŵr hon wella pob clwyf.

Gallai dŵr Ffynnon Lleuddad (SH 219327) ar dir Carrog ym mhlwyf Bryncroes wella pob clwyf ar ddyn ac anifail.

Roedd y ddwy ffynnon yn agos iawn i'w gilydd yn Ffynnon Fyw (SH 310308), Mynytho. Tyrrid ati yn y ddeunawfed ganrif ar Suliau yn Awst i gael hwyl a miri, a defnyddid ei dŵr i adfer golwg y deillion.

Roedd dŵr Ffynnon Cefn Lleithfan ym Mryncroes yn llesol ar gyfer clirio defaid oddi ar y croen ond rhaid fyddai i'r dioddefwr fynd tuag ati heb siarad â neb nac edrych yn ôl. Yna dylid rhwbio'r croen â chadach oedd wedi ei iro â bloneg cyn gadael y ffynnon yn yr un modd heb ddweud gair nac edrych yn ôl.

Ym mhlwyf Llaniestyn roedd Ffynnon y Filast a roddai feddyginiaeth i iselder ysbryd ac anffrwythlondeb a Phistyll y Garn lle ceid gwellhad i gricymalau ac anhwylderau'r coluddion.

Mae Ffynnon y Brenin (SH 280355) i'w gweld o hyd yn agos i gopa Garn Fadrun. Cynigiai hon iachâd i ferched anffrwythlon ac isel eu hysbryd.

Cynigiai cleifion offrwm mewn rhai ffynhonnau i ddiolch ymlaen llaw am adferiad iechyd. Gallai'r offrwm fod yn arian fel mewn ffynnon ofuned, botymau, pinnau neu ddrain. Mae'r arferiad o offrymu pinnau yn mynd yn ôl i gyfnod y Rhufeiniaid a hyd yn ddiweddar gellid darganfod pinnau yn rhai o ffynhonnau Llŷn. Darganfuwyd dysgl ddu yn llawn o binnau ar waelod Ffynnon Bedrog, Llanbedrog. Gallai'r dŵr wella pob clwyf, yn arbennig y gangrin. Cyflwynid pinnau a darnau arian yn Ffynnon Dudwen ger Eglwys Llandudwen gan ddisgwyl iachâd i nifer helaeth o afiechydon yn cynnwys cricymalau ac epilepsi. Ond defnyddid y ffynnon i fedyddio ynddi yn ogystal ag i weinyddu priodasau gerllaw iddi. Mae tyfiant drosti ers blynyddoedd bellach. Ym Mhorth Sglaig, Tudweiliog roedd Ffynnon Gwyfan. Arferid offrymu pinnau yno gan ddeisyfu gwella defaid ar groen, llygaid anafus ac anhwylderau eraill. Ar lechwedd gogledd-ddwyreiniol Mynydd y Rhiw mae Ffynnon Saint (SH 241294). Arferai merched olchi eu llygaid ynddi ar Ddydd Iau Dyrchafael ac yna gyflwyno pinnau iddi fel arwydd o ddiolchgarwch. Byddai dŵr Ffynnon Cae Garw ym mhlwyf Carnguwch yn iacháu'r cricymalau a defaid ar y croen. Yno rhoddid un pin yn y dŵr am bob dafad y dymunid ei gwella.

Un o ffynhonnau amlycaf y mynaich cynnar bid siŵr oedd Ffynnon Saint (SH 165267)yn Aberdaron. Llifa afon Saint heibio iddi ar ei ffordd i lawr o gyffiniau Capel Anelog ac i'r môr ym Mhorth Simdde ar draeth Aberdaron. Yma y gorffwysai'r mynaich ar eu taith a chael cyfle i dorri eu syched am y tro olaf ar y tir mawr cyn croesi'r Swnt.

Erbyn hyn, Ffynnon Fair (SH 139251) yn Uwchmynydd yw'r enwocaf o'r cwbl a hynny am ei bod i lawr yn y creigiau rhwng Mynydd

Gwyddel a Mynydd Mawr. Ar drai, dŵr croyw sydd ynddi ond unwaith y bydd y llanw'n dod i mewn bydd y môr yn golchi drosti. Mae i'r ffynnon hon gysylltiadau clòs â'r pererinion oedd ar eu taith i Enlli; dywedir yr arferent yfed ohoni hithau hefyd. Gerllaw iddi mae pant yn y graig ar ffurf carn ceffyl. Dywedir mai ôl carn ceffyl Mair ydyw – 'gweddillion Pabyddiaeth' meddai Ieuan Llŷn. Cysylltir stori arall â'r hafn serth hon yn y graig. Cafodd geneth dlos iawn o'r ardal neges yn dweud sut y gallai wireddu unrhyw ddymuniad a fynnai. Un noson pan oedd yr haul ar fachlud dywedodd gwraig ddieithr wrthi y cyflawnid yr hyn a ddymunai pe medrai gario dŵr yn ei dwylo o Ffynnon Fair i fyny'r clogwyn ac yna o gwmpas Eglwys Fair heb golli yr un diferyn!

Yng nghanol pentref Bryncroes, gerllaw Tŷ Fair ac yn agos i Eglwys y Santes Fair, mae Ffynnon Fair arall.

Coffeir un arall o seintiau Llŷn mewn enw ffynnon ar dir Bodwrdda, Aberdaron, sef Ffynnon Dwrdan. Dywed Myrddin Fardd fod Dwrdan yn un o ddilynwyr Cadfan.

Gwneid defnydd o ddŵr ffynhonnau ar gyfer bedyddiadau hefyd. O Ffynnon Cadfarch (SH 399402) ceid dŵr ar gyfer bedyddio yn eglwys Aber-erch. Pan ddechreuwyd defnyddio dŵr cyffredin roedd y plwyfolion yn hynod o bryderus. Cedwid dŵr Ffynnon Sanctaidd mewn llestr y tu ôl i ddrws eglwys Carnguwch ar gyfer bedyddio a defnyddid brwsh arbennig i dasgu'r dŵr dros bawb a âi i wasanaeth. Gelwid y brwsh yn 'Ysgub y Cwhwfan'.

Roedd nifer o ffynhonnau Llŷn yn

*Ffynnon Fyw, Mynytho*

ffynhonnau gofuned gyda'r ddawn i broffwydo'r dyfodol. Roedd Ffynnon Gwynedd (SH 374402) ger Tyddyn Ffynnon, Llwyndyrys yn hynod am y gellid cael gwybod ganddi a gâi claf arbennig feddyginiaeth. Y cyfan oedd angen ei wneud oedd rhoi dilledyn o eiddo'r claf yn y dŵr a sylwi beth a ddigwyddai. Pe bai rhywun eisiau gwybod pwy oedd wedi lladrata yn yr ardal y cyfan oedd angen ei wneud oedd taflu bara i ddŵr Ffynnon Fair (SH 311329) ar dir Foel Fawr, Mynytho gan sibrwd enw i'r dŵr. Pe bai'r bara'n suddo, yna hwnnw neu honno fyddai'n euog. Bu Ffynnon Saethon (SH 297324) ym Mynytho yn gyrchfan i bererinion, ac yn ddiweddarach i gariadon. Pe lluchiai'r cariadon ddrain duon i'r dŵr a'r rheiny'n arnofio, byddai popeth yn iawn, ond roedd lle i boeni pe baent yn suddo!

Roedd Ffynnon Arian (SH 304311) ger y Foel Gron, Mynytho yn ffynnon ofuned a ger Gwinllan Sarff ar Fynydd Mynytho mae Ffynnon Sarff (SH 294318). Credid bod neidr yn byw yn y dŵr – mae amryw wedi gweld un ynddi!

O Ffynnon Felin Bach ym Mhenlon Llŷn, Pwllheli y câi nain Cynan ddŵr i'w yfed gan ei fod yn 'ddŵr go iawn, ac yn well na dŵr tap'. Canodd Cynan i'r ffynnon yn ei bryddest 'Mab y Bwthyn':

'Does dim wna f'enaid blin yn iach
Ond dŵr o Ffynnon Felin Bach
Sawl tro o dan ei phistyll main
Y rhoddais biser bach fy nain?
Yno breuddwydiwn drwy'r
              prynhawn
A'r piser bach yn fwy na llawn.

Ni sonnir bod unrhyw rinwedd meddygol na gallu goruwchnaturiol gan Ffynnon Felin Bach nac ychwaith gan weddill ffynhonnau Pwllheli.

Cyfeirir at bedair ffynnon o bwys ym Mhwllheli hyd at ail hanner y ddeunawfed ganrif. Roedd rhai eraill yn y dref hefyd. Ffynhonnau agored oeddent hyd ail hanner y ddeunawfed ganrif a rhoddwyd pympiau arnynt gan fod rhai o drigolion y dref yn golchi eu dillad ynddynt. Cyflogwyd Goruchwyliwr Ffynhonnau yn 1783 am gyflog o £1 y flwyddyn. Cafwyd cyflenwad o ddŵr drwy bibellau i'r dref o Fur Cwymp ger y Ffôr yn 1878. Pan agorwyd y feis yn y Stryd Fawr gyferbyn â Gwesty'r Tŵr saethodd y dŵr i fyny i'r entrychion. Yn raddol pibellwyd y dŵr i'r tai er bod rhai yn gyndyn iawn o'i dderbyn.

Yn Nefyn codwyd waliau a tho dros y ffynnon yn Stryd Ffynnon yn 1868.

Ym mhumdegau'r ugeinfed ganrif y daeth cyflenwad dŵr tap i weddill Llŷn a hynny o Lyn Cwmystradllyn yn nwyrain Eifionydd.

# Llên Gwerin

Un o awduron mwyaf cynhyrchiol Llŷn ganrif yn ôl oedd Myrddin Fardd (John Jones, 1836-1921) a aned ym Mynytho. Treuliodd ei oes yn chwilota, casglu a chofnodi hanes a llên gwerin Llŷn ac Eifionydd. Cyhoeddodd amryw o lyfrau yn cynnwys *Gleanings From God's Acre* sy'n gasgliad o arysgrifau o eglwysi a mynwentydd Llŷn ac Eifionydd, *Enwogion Sir Gaernarfon, Cynfeirdd Llŷn* a'r difyrraf ohonynt i gyd, *Llên Gwerin Sir Gaernarfon*. Mae'n drysor i unrhyw un sy'n ymddiddori ym mywyd y trigolion a thraddodiadau llafar yr ardal.

### Y Tylwyth Teg

Roedd trigolion Llŷn, fel pob ardal arall yn ofergoelus ac yn sensitif i weithgareddau goruwchnaturiol. Cynigid eglurhad am ddigwyddiadau oedd tu hwnt i'w deall, a'u priodoli yn amlach na pheidio i ymyrraeth y Tylwyth Teg. Cyflwynir rhai cyfeiriadau atynt gan gofio bod enghreifftiau cyffelyb i'w cael ym mhob rhan o Gymru.

Cerddai gŵr o Lŷn ym Mwlch Siwncwl, yr Eifl lle clywodd y Tylwyth Teg yn siarad iaith ddieithr â'i gilydd. Mae'n debyg fod ganddynt eu hiaith eu hunain ond siaradent Gymraeg gyda'r bobl leol.

Collodd mam o Lanbedrog ei dau blentyn a chael dau arall yn eu lle. Cynghorwyd hi mai'r ffordd orau i gael ei phlant yn ôl oedd mynd â'r plant dieithr at Bont Rhyd John, rhwng Llanbedrog a Phenrhos, a'u taflu i'r afon. Pan aeth y fam adref roedd ei phlant wedi dychwelyd yn gwbl ddianaf.

Byddai plentyn bychan llai na'r cyffredin yn cael ei ystyried yn blentyn y Tylwyth Teg oedd wedi ei gyfnewid. Dywedid mai un o'r rheiny oedd Elis Bach a drigai yn Nant Gwrtheyrn.

Roedd y Tylwyth Teg yn byw o dan y ddaear. Byddent yn codi tywarchen yn yr hen gaer ym Mhorth Dinllaen i ddod i fyny i'r ddaear. Mae hanesyn am eneth fach oedd yn byw gyda'i theulu mewn tŷ ar Draeth Nefyn. Uwchben ei chartref ar ben yr allt roedd ffynnon o'r enw Pin y Wig. Bob dydd diflannai gan ddychwelyd at ei mam gan ddweud iddi fod yn chwarae gyda nifer o blant. Methai ei mam â deall hyn ac un diwrnod aeth gyda'r eneth ond ni welodd ddim, er i'w merch ddweud iddi gael amser difyr gyda'r plant dieithr. Daeth y fam i ddeall mai plant y Tylwyth Teg oeddent a'u bod yn codi allan o'r dŵr. Ni chafodd yr eneth gyfle i fynd yno wedyn.

Ar ei ffordd o Ffair Pwllheli unwaith, gwelodd dyn o Nefyn dafarn fawreddog ger Efailnewydd. Cafodd gwrw yno, stabl i'w geffyl a gwely i gysgu dros nos. Pan ddeffrôdd roedd yn gorwedd ar domen ludw a'i geffyl wedi ei glymu wrth bolyn! Hawdd iawn oedd beio'r Tylwyth Teg!

Mae sôn am ŵr Nant y Golchi, Llanfihangel Bachellaeth yn cael ei hudo gan y Tylwyth Teg ar ei ffordd adref o'r dafarn. Byddent yn dod i'w nôl unwaith y mis am weddill ei oes ac yn ei arwain allan o'r tŷ drwy'r simdde!

Byddai pobl yn aml yn garedig iawn wrth y Tylwyth Teg. Ar dywydd braf byddent yn dod ar gefn ceffylau bychain gwynion at wraig Melin Soch, yn Aber-soch i fenthyca padell bobi bara. Byddai'r wraig yn cael torth wen yn dâl am ei charedigrwydd.

Byddai rhai pobl yn ymweld â'u gwlad a chafodd gŵr Deunant, Aberdaron weld eu tai o'i ardd. Arferai fynd allan i basio dŵr cyn mynd i'w wely. Un noson daeth dyn bychan ato wedi gwylltio'n gudyll yn dweud bod y dŵr yn mynd i lawr simdde ei dŷ bob nos. Rhybuddiodd y dyn bychan ef fod raid iddo newid ei arferiad a sefyll y tu allan i ddrws cefn ei dŷ yn hytrach na'r drws ffrynt. Os gwnâi hyn ni fyddai yr un o'i wartheg fyth yn cael y dolur byr. Gwnaeth hyn a bu'n ffermwr llwyddiannus iawn, a byth ers hynny mae drws ffrynt Deunant yn y cefn.

## Bwganod

Mae llawer iawn o gaeau a'u henwau yn gysylltiedig ag ysbrydion megis Cae'r Bwgan ym Mhwlldefaid, Uwchmynydd; Cae Bodwiddan yng Nghyfelan Fawr, Llangwnnadl, Cae'r Widdan yn Hendrefeinws, y Ffôr a Gwinllan Pwll Bwbach ger Efailnewydd. Dywedir bod Lôn Nant Iago, Llanbedrog yn dynfa i ysbrydion.

Ger Bryn Llangedwydd rhwng y Ffôr a Phencaenewydd roedd Pont y Gŵr Drwg neu Bont Unnos. Y gred oedd bod y Diafol wedi ei hadeiladu mewn un noson. Gerllaw yr oedd Camfa Angharad lle gwelid ysbrydion o bob math – 'dynion mewn gwisgoedd claerwynion yn symud yn gyflym dros ei gilydd ac yn cyfnewid i ddull milgwn yn llamu dros y clawdd i gae cyfagos'.

Disgrifir Bwystfil Boduan fel llwynog mawr gyda smotiau arno, 'yn oernadu yn y nos, yn ddigon i yrru arswyd drwy gilfachau y galon ddewraf ar nosweithiau yn y gaeaf'. Credid mai anifail tramor ydoedd wedi dod oddi ar long oedd wedi angori ger Ynysoedd Tudwal. Byddai ci du yn ymddangos o dro i dro ac yn amlach na pheidio yn darogan marwolaeth rhywun a'i gwelai.

Ar Foel Carnguwch roedd carnedd anferth lle tyrrai pobl leol ar Nos G'langaeaf i danio coelcerth cyn gorfod rhuthro am adref cyn i'r Hwch Ddu Gwta eu dal.

Rhaid fu galw ar berson Llanengan i ddod i Gelliwig, Botwnnog i geisio tawelu ysbryd. Dangoswyd ystafell arbennig iddo yn y tŷ. Aeth i mewn iddi ond ymhen ysbaid 'daeth yr hen Ficer allan o'r ystafell, lle buasai ef a'r ysbryd yn ymgodymu, a'i ddillad yn garpiau, a'r fath arogl ddrewedig arno fel y gorfodwyd golchi pob cerpyn oedd yn ei gylch, a'i rwbio yntau â sebon meddal o'i gorun i'w sawdl'. Roedd yr ysbryd, mae'n debyg, wedi ei gau mewn twll ebill yn y tŷ a rhywun wedi rhoi topyn ar geg y twll rhag iddo ddod allan. Pan dynnwyd y topyn dihangodd yr ysbryd ac ymosod ar y person.

Pregethodd un o glerigwyr Aberdaron unwaith yn frwd yn erbyn y smyglwyr a'u galw yn 'blant Belsebub'. Canlyniad hyn fu i Gŵn Annwfn ei erlid i ba le bynnag yr âi a pharhau i wneud hynny hyd nes yr addawodd na fyddai'n cyfeirio at y smyglwyr byth wedyn!

Pan edrychai trigolion Uwchmynydd i gyfeiriad Enlli gwelent, o dro i dro, ffurfiau mynaich rhyngddynt hwy a'r ynys. Byddai stormydd, trychinebau ar y môr neu heintiau yn sicr o ddilyn hyn. O gwmpas Braich y Pwll o flaen storm clywid rhu anghenfil oedd wedi ei garcharu.

Aeth pâr ifanc i fyw i Uwchmynydd ar ôl priodi. Ymhen rhai blynyddoedd blinid hwy yn arw gan ddrychiolaeth ond unwaith y darllenid darn o'r Ysgrythur byddai'r ddrychiolaeth yn cilio i gyfeiriad y Parwyd, Pared Gallt Uffern yn ôl Myrddin Fardd, gan hofran yno cyn diflannu dros y dibyn.

Mae hanes am was fferm ym Mynytho yn dweud ei fod yn cerdded adref wedi iddi nosi pan welodd ddynes mewn dillad gwyn yn sefyll ar ochr y ffordd ac arch wrth ei hymyl. Safodd y gwas yno wedi fferru; ni allai wneud dim. Adnabu'r wraig pan glywodd hi'n dweud mai danfon arch i dŷ galar ym Mynytho yr ydoedd efo'i brawd a oedd yn saer coed, a'i fod yntau wedi dychwelyd i'w weithdy i nôl sgriw-dreifar. Stori wir!

Ar y ffordd i Dŷ Hir, Mynytho yr oedd Coeden Bwgan. Roedd dwy ferch ifanc yn cerdded adref o Lanbedrog un noson a phan oeddent gyferbyn â'r goeden arbennig hon clywsent sŵn. Pan beidiodd y sŵn dywedodd un wrth y llall ei bod wedi gweld ei chynhebrwng ei hun yn mynd heibio. Nid oedd modd ei chysuro ond y noson honno bu farw'r ferch ac fe'i claddwyd ym mynwent Llanbedrog.

Gwrthododd ceffyl meddyg Nefyn yn lân a mynd hebio i Goeden Bechod ar lwybr Ty'n-coed Nefyn. Roedd wedi ei startsio ac yn chwys diferol.

Ar y Gamffordd i Nant Gwrtheyrn gwelodd Gwyddel o'r enw Barlow fwgan. Roedd wedi bod ar ei sbri a'r hyn a welodd mewn gwirionedd oedd coeden. Ni chymerodd yr un diferyn ar ôl hyn a galwyd y goeden yn Fwgan Barlow.

Yng ngolau lamp stryd rhwng Stryd y Llan a Stryd y Plas yn Nefyn gwelwyd dyn yn sefyll. Adnabyddid ef fel Capten Davies ond ni ddywedodd air o'i ben. Y bore canlynol daeth y newydd fod Capten Davies wedi disgyn i howld ei long yn Lerpwl a'i ladd yr union amser y gwelwyd ef yn Nefyn.

Ym Mhistyll gwelwyd pelen o dân yn teithio ar y ffordd ac ar hyd ben y clawdd. Aeth at Hen Dŷ a diffodd ar ben y simnai. Deallwyd fore trannoeth fod merch Hen Dŷ wedi marw ar yr un adeg ag y diffoddodd y belen dân.

Ceir cyfeiriadau dychrynllyd hefyd at Jac Lantarn – y goleuadau rhyfedd rheiny a welir yn aml uwchben corsydd. Ymddangosai canhwyllau cyrff gan symud ar hyd taith cynhebrwng cyn i'r truan farw, a sgrechiai adar cyrff yng nghyffiniau eu cartrefi gan broffwydo marwolaeth.

## Gwrachod

Yn 1620 bu farw Margaret, merch Cefn Llanfair, Llanbedrog a pharlyswyd ei chwaer mewn amgylchiadau amheus iawn. Cyhuddodd eu brawd dri chymydog ac yn y llys yng Nghaernarfon caed hwy'n euog o'u rheibio ac o fod yn wrachod. Fe'u dedfrydwyd i farwolaeth. Dyna'r unig achos o ddienyddio gwrachod a gafwyd erioed yng Nghymru.

Roedd John Owen, person Llannor, yn frwd yn erbyn Howell Harris a'r Methodistiaid, a bu yng nghanol ffrae grefyddol ffyrnig. Casâi gwraig o Lannor o'r enw Dorti y person â chas perffaith gan ei felltithio yn ddiarbed. Amharai ar ei wasanaethau a châi ei thaflu allan o'r eglwys. Er iddi gael ei chlymu wrth gerrig yn y fynwent ni thawelai hynny ddim arni o gwbl. Bu farw John Owen yn gynamserol a phriodolir hynny i'r hyn a ddioddefodd oherwydd Dorti Ddu. Pan oedd yn ei arch llwyddodd Dorti i gael gafael ar ei gorff ac ysgwyd ei drwyn yn ffyrnig. Claddwyd ef yn Llanidloes ac yn ôl Robert Jones Rhoslan, aeth Dorti yr holl ffordd i'r fan honno i 'ollwng ei budreddi ar ei fedd'.

Mae sôn am ysbrydion direidus yn chwarae triciau mewn tai, gan daflu caead y tegell o gwmpas y gegin, dillad yn rhwygo mewn droriau a photiau llaeth yn malu'n deilchion heb eu cyffwrdd. Un o'r rheiny oedd Bwgan Pant y Wennol, Mynytho. Galwyd arbenigwyr i'r tŷ yn y 1860au i geisio datrys y dirgelwch. Roedd geneth ifanc o'r enw Elin Ifans yn byw ym Mhant y Wennol a chyhuddwyd hi o fod yn wrach. Yn ôl pob sôn roedd wedi dechrau ymddiddori mewn ysbrydegaeth a chodi ysbrydion. Aed â hi, yn eneth bymtheg oed, dan ofal dau blismon mewn car agored i swyddfa'r heddlu ym Mhwllheli i fynd o flaen ei gwell. Er iddi gael ei rhyddhau yn ddi-gosb, ac iddi fyw i wth o oedran ym Mynytho, cafodd y cyfan effaith arw arni.

## Dewiniaid

Cyfeiriodd Robin Ddu Ddewin at Lŷn pan fu'n darogan y byddai Pwllheli yn disgyn i'r pwll heli pe bai buwch goch yn rhedeg drwy'r dref ar ddiwrnod ffair. Dywedodd hefyd y byddai tarw yn mynd i ben twr Eglwys Llandygwnning.

Roedd y gallu gan Ddewin Rhyllech i aredig â cheiliog hwyaden a gwneud i gwpan nofio yn groes i'r llif mewn afon. Lladdwyd y dewin ger Bwlch Siwncwl, rhwng copaon yr Eifl, a'i gladdu yno. Aeth yn arferiad i bawb a âi heibio i roi carreg ar ei fedd nes ffurfio carnedd.

# Chwedlau

## Castellmarch

Cysylltir stori werin ryngwladol â Chastellmarch, Aber-soch. Yno yr oedd brenin o'r enw March ap Meirchion yn byw, ond poenid ef yn fawr gan fod ganddo glustiau ceffyl. Yr unig un a wyddai am hyn oedd ei farbwr ac roedd hwnnw tan lw nad oedd i ddatgelu'r gyfrinach wrth neb. Ond aeth cadw hyn iddo'i hun yn faich arno ac aeth at lan afon Soch a sibrwd y gyfrinach wrth y dŵr a'r hesg a dyfai ar ei glan. Ymhen peth amser cynhaliwyd gwledd yn Nghastellmarch ac aeth pibydd Maelgwn Gwynedd yno i ddiddori'r gwesteion. Ar ei ffordd aeth at afon Soch i dorri corsen i wneud pib newydd. Pan ganodd hi yn y wledd yr unig sŵn ddaeth allan ohoni oedd 'Mae clustiau ceffyl gan March'. Roedd March a'r pibydd wedi dychryn gymaint â'i gilydd ond yn groes i ofnau March ni chwarddodd neb am ben ei glustiau.

Roedd March ap Meirchion yn un o farchogion Arthur. Cyfeirir ato yn y Trioedd fel un o 'Dri Llynghesawg Ynys Prydain'. Cyfansoddodd Cynan 'Baled Castellmarch' sy'n adrodd y chwedl yn hynod o ddramatig.

## Melltith y Mynaich a Rhys a Meinir

Cafodd mynaich o Glynnog Fawr eu camdrin yn arw yn Nant Gwrtheyrn ac am hynny gosodasant dair melltith ar y Nant a'i thrigolion. Dywedodd y mynaich na châi unrhyw ddau o'r Nant briodi, na châi unrhyw un ohonynt ei gladdu mewn tir cysegredig ac y byddai'r pentref farw yn y man.

Mae stori drist am ddau gariad oedd yn byw yn Nant Gwrtheyrn – Rhys a Meinir. Ar ddiwrnod eu priodas aeth Meinir i guddio yn ôl arfer yr oes er mwyn i Rhys orfod mynd i chwilio amdani. Er iddo chwilio am oriau ni ddaeth o hyd iddi. Collodd ei bwyll yn lân a bu'n crwydro'r llechweddau am flynyddoedd gan chwilio amdani, ond yn ofer. Un noson mewn storm ddifrifol o fellt a tharanau holltwyd ceubren a beth welwyd ynddo ond sgerbwd Meinir, yn ferch ifanc yn ei gwisg briodas. Aed ag arch Meinir i fyny'r gamffordd ar gar llusg er mwyn ei chladdu ond llithrodd a disgyn dros y dibyn gan ddiflannu i'r môr. Dyna wireddu dau o'r melltithion. Tybed a wireddwyd y drydedd felltith pan ddifodwyd cymuned yn y Nant cyn sefydlu'r Ganolfan Iaith Genedlaethol?

## Gwrtheyrn

Ffodd Gwrtheyrn Gwrtheneu rhag ei elynion, Emrys Wledig a Garmon, i Dre'r Ceiri. Roedd wedi troi yn archfradwr gan iddo roi ei dir i'r Saeson fel tâl am y cymorth a gafodd ganddynt i ymladd yn erbyn ei elynion. Cododd amddiffynfa o goed yn y dyffryn islaw, yn y fan lle mae Tŷ Uchaf, Nant Gwrtheyrn, ond buan iawn y llwyddodd ei ymlidwyr i ddod o hyd iddo a thaniwyd saethau tân at ei gaer. Yno yn llochesu gydag ef yr oedd ei wyres, Madren, a'i mab hynaf, Ceidio. Llwyddodd y fam a'i phlentyn i ddianc i gaer arall ar gopa un o fynyddoedd uchaf Llŷn. Enwyd hwnnw yn Garn Fadrun er cof amdani!

Pan agorwyd Bedd Gwrtheyrn ar y safle (SH 349451) darganfuwyd sgerbwd dynol arbennig o dal.

Draw i gyfeiriad Nefyn mae craig sy'n disgyn yn ddibyn unionsyth i'r môr. Dyma Garreg y Llam. Dywed traddodiad i Gwrtheyrn neidio o'i phen gyda'i gleddyf yn ei law yn hytrach nag ildio i'w elyn.

**Aelhaearn**

Yn ôl un chwedl lladdwyd gwas Sant Beuno o fynachlog Clynnog Fawr gan gnud o fleiddiaid gan ddarnio'i gorff. Ond trwy ei allu rhyfeddol llwyddodd y mynach i gasglu'r darnau ynghyd a'i adfywio. Yn anffodus, roedd darn o'i dalcen ar goll a rhaid fu i Beuno roi darn o haearn yn y gwendid hwnnw. Galwyd y gwas ar ei newydd wedd yn Aelhaearn ac ef yw nawddsant eglwys plwyf Llanaelhaearn.

# Ffeiriau

Gwenni aeth i Ffair Pwllheli
Eisiau padell bridd oedd arni,
Rh'odd amdani chwech o syllta'
Costiai gartra ddwy a dima'.

Er i'r hawl i gynnal ffair gael ei roi i
Bwllheli pan dderbyniodd ei siarter yn
1355, cynhelid dwy ffair yn y dref
ymhell cyn hynny. Ar ddechrau'r
ugeinfed ganrif cynhelid un ar ddeg
ffair yn y dref, naw yn Sarn Mellteyrn,
pump yr un yn Nefyn ac Aberdaron,
dwy yn y Ffôr ac un yn Aber-erch.
Ffeiriau prynu a gwerthu oeddent gan
mwyaf mewn canolfannau hwylus ar
gyfer y prynwr a'r gwerthwr. Yn raddol
datblygodd y rhialtwch a'r miri a
gysylltir â diwrnod ffair. Roedd gan
bob plwyf ei ŵyl Mabsant i ddathlu
pen-blwydd ei nawddsant, lle deuai
pawb at ei gilydd i fwynhau chwaraeon
a mabolgampau, a hynny yn aml ar
ddydd Sul. Dyma oedd yr arferiad cyn
i'r Diwygiad Methodistaidd gyrraedd a
sych-dduwioldeb yn ei ddilyn.

Roedd gan y prif ffeiriau eu
harwyddocâd unigryw eu hunain. Ffair
gyntaf y flwyddyn oedd Ffair Newydd
Pwllheli a gynhelid ar y 15fed o
Fawrth. Gan fod tir Llŷn yn doreithiog
gallai gynhyrchu hadau ceirch a haidd
a thatws hadyd i'w gwerthu i ffermwyr
o ardaloedd Arfon a Meirionnydd.
Amserid y tymhorau yn ôl y ffeiriau
hefyd a nod ffermwyr ardal
Llangwnnadl oedd sicrhau eu bod
wedi aredig cyn Ffair Newydd.

Rhaid fyddai troi'r gwartheg allan
ar ôl iddynt fod i mewn dros y gaeaf
cyn y cyntaf o Fai pan gynhelid Ffair
Calan Mai neu Ffair Bach Pwllheli. Yn
y ffair hon gwerthid anifeiliaid er mwyn
i'r ffermwyr allu talu cyflogau i'w
gweision a'u morynion cyn dydd ffair
gyflogi a gynhelid ganol y mis. Cyn
diwrnod y ffair disgwylid y byddid wedi
hau haidd a'r gwas wedi cwblhau ei
orchwylion cyn diwedd ei dymor ac
yntau yn ei dro yn ysu am bentymor.

Mi godais heddiw'r bore,
Mi welais gywion gwydde,
Egin haidd, ac ebol bach,
O, bellach fe ddaw G'lame.

Roedd y ffair gyflogi yn Ffair
Bentymor a chynhelid tair yn Llŷn ym
mis Mai: Aberdaron ar y 12fed,
Pwllheli ar y 13eg a Sarn ar y 15fed.
Yma y câi'r gweision a'r morynion
gyfle i newid fferm neu i ail-gyflogi yn
yr un fan am dymor arall. Byddai'n
hanner diwrnod o wyliau i blant ysgol a
phawb yn tyrru i'r ffair am ddiwrnod o
rialtwch.

Fel hyn y canodd Griffith Williams,
Pwll Crwn yn 1907:

Mor ddifyr gŵyl ein goror
　　Yn y Sarn,
Yr hon yw Ffair Pentymor
　　Yn y Sarn,
Y ffyrdd i gyd yn frithion
O ferched ac o feibion,
A phlantos o'r holl gyrion
　　Yn y Sarn,
Yn rhydd o bob gofalon
　　Yn y Sarn.

Mae hon yn ffair gyflogi
　　Yn y Sarn,
A dyna'r amcan iddi
　　Yn y Sarn,
Mae'r meistri gyda'r gweision
Y naill i'r llall yn hyfion,

Yn dadlau megis doethion
  Yn y Sarn,
Am gyflog teg ei safon
  Yn y Sarn.

Cynhelid Ffair Gynta'r Haf ym Mhwllheli ar yr 22ain o Fai lle byddid yn prynu a gwerthu ceffylau ar gyfer tymor y cynhaeaf. Ceid ffair yn Sarn ar y 27ain o Fehefin lle cyflogid pladurwyr. Prif ffeiriau pladurwyr oedd Ffair Gŵyl Ifan yn Nghricieth ar y 29ain o Fehefin a Ffair Glaspan yn Llanllyfni ar y 6ed o Orffennaf.

Cynhelid Ffair Awst yn Aberdaron a Sarn ar y 12fed o'r mis ac ym Mhwllheli ar y 13eg lle gwerthid ŵyn ar gyfer eu pesgi.

Ym mis Medi y cynhelid Ffeiriau Gŵyl y Grog pan ddeuai ffermwyr Llŷn a ffermwyr y mynyddoedd i gytundeb ynglŷn â chymryd defaid cadw dros y gaeaf.

Ailadroddid patrwm Calan Mai cyn pentymor Calan Gaeaf pan gynhelid Ffair Bach ym Mhwllheli ar y 1af o Dachwedd i werthu anifeiliaid er mwyn cael arian i dalu cyflogau. Ymhen rhyw bythefnos cynhelid y Ffeiriau Cyflogi yn Aberdaron, Sarn a Phwllheli.

Deuai ffermwyr o bellafoedd Eifionydd i Bwllheli ac yno y cyflogodd Robin Fawr o Fynytho a chytuno i fynd yn was fferm i Bach Saint. Ymddangosai Cadwalad, y ffermwr, yn 'fistar clenia'r byd', ond bu'n dymor hir a Robin Fawr yn dyheu am bentymor:

Yn Mach y Saint annifyr
  Mae gwely trwmbal trol,
Lle bûm i'n treio cysgu
  Ar hanner llond fy mol, –
A chig yr hen hwch focha
  Yn wydyn a di-flas; –

Fe glywsoch am Gydwalad
Ŵr calad wrth ei was.

Ffarwél i dynnu rwdins,
  Ffarwél i'r gath a'r rhaw,
Ffarwél i'r gaseg dena
  Sy'n gorwadd yn y baw;
Ffarwél i'r tarw penwyn,
  Ffarwél i'r ceffyl glas,
Ffarwél i'r hen Gydwalad, –
Ŵr calad wrth ei was.

Cynhelid Ffair Gaeaf ym Mhwllheli yn nechrau mis Rhagfyr ar gyfer gwerthu anifeiliaid a 'menyn pot. Eid mor fanwl yn y Ffôr ('Pedair Croesffordd' yn ôl *Almanac y Miloedd*) â nodi y cynhelid y ffair hon ar y dydd Iau cyn y dydd Gwener cyntaf ym mis Rhagfyr!

Byddai marchnad arbennig ym Mhwllheli yn ddiweddarach ym mis Rhagfyr a thyrrai pobl yno o bob cyfeiriad. Dyma'r Farchnad Felys lle gwerthid ieir, gwyddau a hwyaid ar gyfer y Nadolig ac os gellid dal arni yn hwyr y dydd cyn prynu byddai gobaith da am fargen.

Diflannodd y ffeiriau rhwng y ddau Ryfel Byd ac fe'u disodlwyd gan 'Greding' Sarn a 'Mart' Pwllheli. Parhaodd rhai porthmyn i brynu ar y ffermydd ond bellach cludir yr anifeiliaid i farchnadoedd mewn mannau canolog megis Bryncir, Gaerwen a Llanelwy.

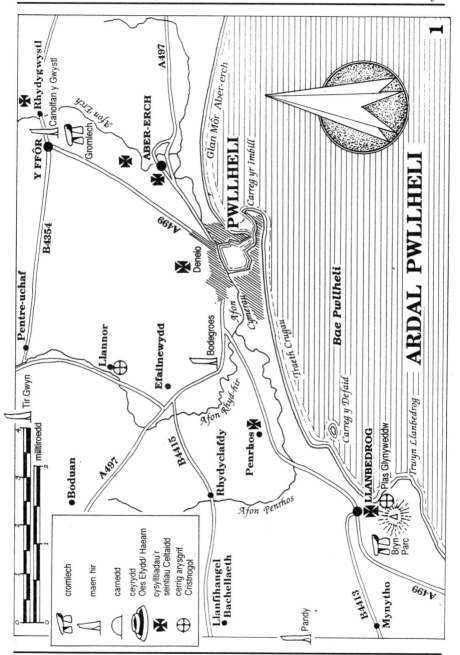

ARDAL PWLLHELI

# Pwllheli

Ganrifoedd yn ôl roedd pob rhan o Bwllheli sydd heddiw yn wastad o dan y môr ar lanw. Datblygodd twyni tywod i gysylltu Carreg yr Imbill â Charreg y Defaid i'r gorllewin a Phenychain i'r dwyrain. Yr unig ffyrdd a arweiniai o Bwllheli oedd Penlon Llŷn a Phenlon Caernarfon. Ar ddistyll gellid cerdded ar draws y gwastatir a chroesi'r afonydd yn Rhyd Glai neu Rhyd Liniog neu groesi ar ben llanw efo fferi a redid gan ŵr a drigai mewn tŷ yn agos i safle Ysgol Glan-y-Môr.

Adeiladwyd Cob y Dref a Chob Glan Don yn nechrau'r bedwaredd ganrif ar bymtheg a chorlanwyd y môr nes yr aeth traeth Pwllheli rhyw chwarter milltir o ganol y dref.

Mae enwau fel y Gadlys a Henllys yn cadarnhau bod Pwllheli yn hen dref, a chredir bod mwnt yng nghyffiniau Capel Penmount. Yn dilyn gorchfygu Llywelyn, gorchmynnodd Brenin Lloegr yn 1284 fod arno angen rhestr o'i eiddo newydd. Gwnaed hynny a dyma'r cyfeiriad cyntaf a geir at Bwllheli.

Yn 1293 roedd Nefyn yn dref fwy o lawer na Phwllheli; 120 teulu yn Nefyn a 21 ym Mhwllheli. Iorwerth oedd y gŵr cyfoethocaf ym Mhwllheli gyda thri ychen, naw buwch, dau geffyl, pedair dafad, chwe chrannog o flawd a phedwar crannog o wenith. Roedd yma hefyd ddau gwch a nifer o rwydi pysgota. Ond o fewn tair canrif roedd Pwllheli wedi datblygu'n arw a hi oedd prif dref cwmwd Cafflogion a chanolfan masnach Llŷn.

Yn 1355 rhoddwyd siarter i Bwllheli gan y Tywysog Du a roddai iddi'r hawl i gynnal ffair a marchnad, er bod tystiolaeth y cynhelid dwy ffair yn y dref ganrif cyn hynny.

Yn y bymthegfed ganrif dioddefodd y dref ymosodiadau gan ddilynwyr Owain Glyndŵr a cheir adroddiad 'fod Pwllheli ar chwâl a'r trigolion wedi ffoi' hyd yn oed cyn i wrthryfel Glyndŵr godi stêm.

### Y Traeth a'r Pwll

Pwllheli, pwll halan
Pwll 'gosa i bwll uffarn

Mae'r stryd a elwir y Traeth, rhwng Pentrepoeth a phen dwyreiniol y Stryd Fawr, yn nodi ble'r oedd y traeth gwreiddiol. Mae'n debyg y llifai'r llanw dros y traeth hwnnw i'r maes parcio presennol (safle archfarchnad yn y dyfodol o bosib). Dyma'r Pwll Heli gwreiddiol ac wrth i ddyfnder y môr ostwng ac encilio, trodd y pwll yn gors a rhoi bod i dai Llawr Gors. Yma yn ardal y Traeth Tŷ Eiddew yr angorai'r llongau tra'n llwytho a dadlwytho, ond wrth i longau gynyddu mewn maint rhaid fu codi cei newydd yng nghyffiniau'r *Mitre* ar y Maes, a tholldy – y *Custom House* – yn ardal Stryd Llygod. O bobtu canol y bedwaredd ganrif ar bymtheg roedd Pwllheli yn un o brif ganolfannau adeiladu llongau. Cyn 1813 roedd y Maes o dan ddŵr y môr!

### Yr Harbwr

Codwyd morglawdd o Lan Don i Ben Cob rhwng 1904 ac 1908 a rheolid y llanw gan ddorau o dan Bont Pen Cob a Phont yr Hen Stesion. Ni fu'r harbwr yn llwyddiannus o gwbl ond yn sgîl ei ffurfio enillwyd tir o afael y môr i godi tai Lôn Aber-erch a Ffordd y Maer.

Bu un o gymeriadau hynotaf Cymru yn gweithio ar yr harbwr, sef Coch Bach y Bala. Treuliodd ei oes gyfan unai'n lladrata neu mewn carchar. Roedd yn hanner cant a dwy oed pan ddaeth i Bwllheli – treuliodd gyfanswm o 35 mlynedd yng ngharchar cyn hynny. Tra bu ym Mhwllheli yn 1906 ymosodwyd ar hen wraig yn Nhanrallt, Aber-erch a'i hanafu'n ddrwg iawn. Amheuwyd y Coch Bach yn syth ac aed ag ef o flaen ei well. Er bod y dystiolaeth yn ei erbyn yn eithriadol o denau fe'i carcharwyd am chwe blynedd.

Heddiw datblygwyd marina ym mhen dwyreiniol yr harbwr ac ehangwyd ar Drwyn Glan Don. Dyma Hafan Pwllheli a ystyrir yn ganolfan hwylio o safon uchel iawn, yn un o brif ganolfannau hwylio gwledydd Prydain, a Bae Pwllheli yn atyniad i gystadlaethau hwylio rhyngwladol. Mae rasio rhwng Pwllheli ac Iwerddon yn hynod o boblogaidd ac yn cryfhau'r berthynas Geltaidd rhwng y ddwy wlad. Aiff cychod o Bwllheli i'r Alban hefyd i hwylio yn flynyddol. Pe bai Manceinion wedi llwyddo i ddenu'r Gêmau Olympaidd, yna Pwllheli fyddai wedi bod yn ganolfan i'r cystadlaethau hwylio. Yma ym Mae Pwllheli y bwriodd Richard Tudor ei brentisiaeth fel hwyliwr cyn mentro'n arwrol ddwywaith i rasio o gwmpas y byd, yn 1992 ac 1996, yn groes i'r gwynt a llif y llanw. Ystyrir yr harbwr yn fan arbennig i wylio adar gyda'r amrywiaeth cyfoethog o ymfudwyr ddaw yma dros y gaeaf, yn hwyaid a rhydyddion.

Gwnaed gwelliannau amlwg i'r Cob a Chei'r Gogledd yn ddiweddar, yn ogystal ag i'r Prom, y Maes a Phen Cob.

### Carreg yr Imbill
Bu unwaith yn graig anferth hyd nes y dechreuwyd ei chloddio yn gynnar yn y bedwaredd ganrif ar bymtheg i gynhyrchu sets ar gyfer strydoedd dinasoedd Lloegr. Mewn canrif newidiodd ei ffurf i'w siâp presennol.

Roedd Eben Fardd (1802-63) yn bryderus amdani:

> Gwŷr y gyrdd hyd ei gwar gerddant, –
>      diwrnod
>   I'w darnio ddaw meddant,
>   A'i chloddio nes byddo'n bant
>   Agennog, ddiogoniant.

Ceir golygfa ddifyr o'i phen yn arbennig ar foreau Sadwrn a Sul pan fo ugain a mwy o gychod hwyliau yn ymgiprys yn y bae. Ar ochr y môr yng Nghrochan Berw bydd y tonnau'n hyrddio'n ffyrnig ar y graig pan yw'n stormus, neu'n sugno'n ddwfn ar noson o haf.

### Datblygiad y dref ar droad yr ugeinfed ganrif
Ers dechrau'r ganrif roedd Pwllheli wedi ennill enw da iddi hi ei hun am ei gwestai a'i chyfleusterau megis cytiau nofio ar gyfer ymwelwyr. Pan godwyd y Cob ac agor y rheilffordd sylweddolodd nifer o wŷr busnes o Bwllheli a thu hwnt fod modd datblygu'r dref ar gyfer ymwelwyr. Mae enwau strydoedd Marian y De, Stryd Potts, Stryd Churton a Stryd Edward, yn coffáu tri gŵr a fu, ynghyd â'r Parchedig David Evan Davies –

sylfaenydd yr achos yng Nghapel South Beach – a Robert Jones, yn amlwg iawn yn natblygiad y rhan hon o'r dref. Gosodwyd y garreg sylfaen gyntaf yn 1888 ac aed ymlaen i godi strydoedd ac adeiladu prom.

Yn 1893 ymwelodd Solomon Andrews, gŵr busnes o Gaerdydd, â'r dref a gweld eto fod modd datblygu. Prynodd dir ym mhen gorllewinol y dref. Y peth cyntaf a wnaeth oedd gosod cledrau tram i gludo cerrig o chwarel Carreg y Defaid ar gyfer adeiladu tai a phrom ym Mhwllheli. Dechreuodd gario teithwyr yn fuan wedyn ac ar ôl codi Pont Solomon yn 1895 ymestynnwyd y cledrau o ganol Pwllheli i Lanbedrog. Codwyd gwesty a thai yn y West End a thai brics melyn ar Ffordd Caerdydd, Ala Isa a'r Maes yn ogystal â Chapeli Saesneg ar Ffordd Caerdydd a'r Ala. Adlewyrchir nodweddion pensaernïol Solomon Andrews, sef y brics melyn, yn adeiladau diweddar y dref ac ym Mhont Solomon a ailgodwyd yn 1997.

O fewn ychydig flynyddoedd roedd y dref wedi ei gweddnewid a daeth yn dynfa ymwelwyr.

## Y Tram

Yn 1899 agorwyd ail wasanaeth tram y dref gan y Cyngor Tref i redeg o Ben Cob i Farian y De ond fe'i diddymwyd yn 1920. Adnewyddwyd un tram a redai ar y cledrau hyn yn ddiweddar, a bydd yn cael ei arddangos i'r cyhoedd yn fuan. Daeth gwasanaeth tram Solomon Andrews i ben pan ddinistriwyd y cledrau gan storm yn 1927.

## Y Maes

Dyma ganolbwynt y dref lle cynhelir un o farchnadoedd mwyaf poblogaidd gogledd Cymru ar ddydd Mercher. Yma yr arferid cynnal y ffeiriau yn ogystal â chodi pebyll ar gyfer sasiwn a syrcas. Mae'r ffair 'wagedd' erbyn hyn yn barhaol yn mhen deheuol y Maes ac ym mherchenogaeth teulu Studt – teulu ffeiriau enwog o dde Cymru.

## Cyfathrebu ar y Ffyrdd

Yn gynnar yn ail hanner y bedwaredd ganrif ar bymtheg datblygodd gwasanaeth ar gyfer cario pobl gan nifer o goetsus, fel rhai Tir Gwenith o Langwnnadl a Tocia o Aberdaron. Byddai coets Tocia yn troi yn Nanhoron ac yn dod i Bwllheli drwy Rydyclafdy gan y byddai ymgodymu â gelltydd Mynytho yn ormod o straen ar y ceffylau. Deuai coetsus Llŷn â theithwyr i Bwllheli deirgwaith yr wythnos ac fe gedwid eu ceffylau yn stablau rhai o dafarnau'r dref.

Yn 1906 daeth y bws cyntaf i gario teithwyr yn ôl ac ymlaen i Edern.

Erbyn heddiw mae gwasanaeth bysus yn cysylltu Pwllheli â phentrefi Llŷn ac Eifionydd ac yn ddyddiol mae bws yn teithio i Gaer ac ymhellach.

## Gorsaf y Rheilffordd

Cyn i'r rheilffordd ddod i Bwllheli bu'n fwriad yn 1845 i adeiladu un a âi ymlaen drwy'r dref i Borth Dinllaen pan oedd cynlluniau ar y gweill i ddatblygu porthladd enfawr yno i gysylltu Iwerddon â'r byd mawr. Bu'n fwriad unwaith i agor lein i Aber-soch. Un o'r cwestiynau poblogaidd i ymgeiswyr y blaid Dorïaidd amser etholiad cyffredinol fyddai pa bryd y câi'r rheilffordd o Bwllheli ei hailagor! Ac yn ddieithriad ceid atebion llawn addewid.

Agorwyd gorsaf rheilffordd gyntaf Pwllheli ym mhen dwyreiniol yr harbwr yn 1867. Roedd y peiriant wedi cyrraedd yma ar fwrdd llong. Pan godwyd y Cob i gysylltu Glan Don â'r dref gosodwyd cledrau arno ac agor gorsaf ym Mhen y Cob yn 1909. Dyna pryd y symudwyd adeiladau'r 'Hen Stesion', yn cynnwys y canopi, a'u hail-godi yng ngorsaf Aberdyfi. Symudwyd y canopi oddi yno a gwelir ef yn awr yng ngorsaf Trên Llyn Tegid yn Llanuwchllyn.

Ceir golygfeydd hyfryd ar y daith ar Reilffordd y Cambrian o Bwllheli i Fachynlleth, a gellir teithio ymhellach i Aberystwyth a thrwy'r canolbarth i gyfeiriad Amwythig.

### Gwasanaeth y Post
Yn nechrau'r bedwaredd ganrif ar bymtheg byddai ceffyl a char yn cario'r post i Fangor deirgwaith yr wythnos hyd nes y cafwyd gwasanaeth dyddiol gan gar post yn 1822. Roedd hon yn daith bedair awr a hanner ac fe fyddai lle i rai teithwyr fynd gyda'r post – y rhai a eisteddai y tu mewn yn talu 12/6, a 6/6 am gael eu cario y tu allan. Erbyn 1850 rhedai car post i Borthmadog a phum mlynedd yn ddiweddarach i Nefyn ac Edern ac yna i Sarn Mellteyrn.

Cafodd Pwllheli ei phostfeistr ei hun yn 1783. Roedd yn ddisgwyliedig i bob capten llong drosglwyddo'r llythyrau oedd yn ei feddiant i swyddog y tollau oedd â'i swyddfa, mae'n debyg, yn y fan lle mae Stryd Llygod heddiw. Bu'r gwasanaeth dan reolaeth y Postfeistr Cyffredinol a weithredai o swyddfa yng ngwaelod y Stryd Fawr cyn symud i adeilad newydd yng ngwaelod Ffordd Caerdydd yn 1905. Bellach mae'r cownter yn siop Amaethwyr Eifionydd ym Mhen Cob a hynny o ddidol llythyrau sy'n digwydd y tu allan i Gaer yn parhau i gael ei wneud yng nghefn yr hen swyddfa, ac oddi yno y dosberthir y llythyrau i bob cwr o Lŷn, ond fe gollwyd y marc post.

Mae tair Swyddfa'r Post arall yn y dref – ym Marian y De, Marian y Môr ac ar Lôn Aber-erch.

### Yr Heddlu
Bu ym Mhwllheli rhyw fath o heddlu ers cyfnod Llywelyn ap Gruffudd. Erbyn y ddeunawfed ganrif roedd gan Bwllheli gwnstabliaid a chaent rywfaint o dâl am eu gwasanaeth. Roedd gan y dref ei llys ei hun – Y Cwrt Bach – er y bu am flynyddoedd maith yn disgwyl i'r awdurdodau ei gefnogi. Bu yma garchar yn Stryd Moch (gweler y plac sydd ar yr adeilad) yn ogystal ag un danddaearol yn Stryd Penlan. Agorwyd y swyddfa heddlu bresennol yn yr Ala yn 1874 ac yno y cynhelid y llys. Pan gaewyd Ysgol Troed yr Allt addaswyd yr adeilad hwnnw i fod yn llys.

Llwyddodd Pwllheli i gadw ei hannibyniaeth a chynnal ei gwasanaeth heddlu ei hun yn annibynnol o'r sir hyd 1879; yr olaf o fwrdeistrefi gogledd Cymru i wneud hynny. Gwelir plac ar swyddfa'r heddlu sy'n nodi y bu'r gantores Leila Meganne yn byw yno. Dyma lle'r aeth tri Penyberth i gyfaddef iddynt losgi'r ysgol fomio yn 1936.

## Y Gwasanaeth Tân

Cyflwynodd R. Lloyd Edwards, Nanhoron, y peiriant ymladd tân cyntaf i'r dref yn 1854 ond bu'r trigolion yn esgeulus ohono a phan fyddai adeiladau yn mynd ar dân nid oedd neb a allai weithio'r peiriant. Fodd bynnag, cafwyd peiriant newydd yn 1914 a'i gadw mewn adeilad pwrpasol yn Ffordd Caerdydd Isaf.

Heddiw, mae gan y gwasanaeth tân ym Mhwllheli griw disgybledig a thriw fel a geir yng ngorsafoedd llai Nefyn ac Aber-soch.

## Y Bad Achub

Trigai Henry Richardson, cynllunydd badau achub tra enwog, yma ar ddiwedd y bedwaredd ganrif ar bymtheg a phan fu farw, cyflwynwyd un o'i gychod i'r dref a chodwyd y cwt a ddefnyddir heddiw yn Nhocyn Brwyn. Cwch rhwyfo agored oedd y cyntaf a'r criw dewr yn gorfod rhwyfo allan y tro cyntaf y lansiwyd ef i ddannedd y ddrycin i achub un ar ddeg o longwyr oddi ar long oedd wedi taro Sarn Badrig rai milltiroedd allan yn y bae.

Erbyn hyn mae bad achub modern yn y cwt, a chwch gwyllt ar gyfer achub bywydau yn yr harbwr ac yn agos i'r lan. Mae criw o wirfoddolwyr brwd a chydwybodol yn barod i ymateb i unrhyw alwad.

## Addysg

Sefydlwyd ysgol ramadeg ym Mhwllheli yn ail hanner yr ail ganrif ar bymtheg a hynny ar ôl i Ysgol Ramadeg Botwnnog gael ei symud am gyfnod i'r dref. Yn 1741-42 Goronwy Owen o Fôn oedd is-athro yr ysgol hon. Ganrif yn ddiweddarach cynhaliwyd un o Ysgolion Griffith Jones yn eglwys y plwyf. Yn y cyfnod a ddilynodd gwelwyd sefydlu Ysgol Sul yn y dref, a nifer o ysgolion preifat byrhoedlog. Daeth galw am ysgol gan yr Eglwys a gosodwyd carreg sylfaen Ysgol Penlleiniau ar Allt Salem yn 1843. Dilynwyd hyn, wrth gwrs, gyda'r galw am ysgol ansectyddol a llwyddwyd i agor Ysgol Troed yr Allt yn 1857. Un o'r prifathrawon cyntaf oedd William George o sir Benfro. Cyfarfyddodd â'i wraig, un o Lanystumdwy, a hwy oedd rhieni David Lloyd George. Yr adeilad addysgol nesaf i'w godi oedd Ysgol Ramadeg Pwllheli ym Mhenrallt yn 1903 er y cynhaliwyd ysgol dros dro ym Mhlas Tirion. Dilynwyd hyn ymhen blynyddoedd gyda galw am ysgol ar gyfer plant hynaf ysgolion Penlleiniau a Throed yr Allt ac yn 1931 agorwyd Ysgol Frondeg. Daeth tro ar fyd yn 1970 pan agorwyd Ysgol Glan-y-Môr i gynnig addysg gyfun i blant dros dair ar ddeg oed, a'r rhai iau yn mynd i Ysgol Penrallt – yr hen Ysgol Ramadeg. Aeth Ysgol Troed yr Allt ar dân yn 1962 a rhaid fu aros hyd 1978 hyd nes yr agorwyd Ysgol Cymerau i gymryd y plant cynradd i gyd. Erbyn hyn coleg trydyddol sydd ar safle Ysgol Penrallt – Coleg Meirion Dwyfor – lle mae'r mwyafrif o ddisgyblion dros un ar bymtheg oed a hŷn yn derbyn eu haddysg.

## Y Maer a'r Cyngor Tref

Mae'n debyg y bu gan Bwllheli dair sêl wahanol: y gyntaf yn arddangos y Forwyn Fair a'i phlentyn, yr ail gyda gafr yn sefyll ar ei dwy goes ôl a'r olaf, sef yr un a ddefnyddir heddiw. Mae hon yn ymddangos yn gwbl estron i Bwllheli ond yn ddeniadol ar wisg disgyblion Ysgol Glan-y-Môr. Arni gwelir eliffant gyda chastell ar ei gefn a choed palmwydd o bobtu gyda'r geiriau canlynol yn llunio cylch o'u cwmpas: 'SIGILLUM COMMUNITATIS DE VILLE DE PORRTHELY' ('Sêl Cymuned Tref Pwllheli'). Ceisir egluro bod yr eliffant yn arwydd o nerth a doethineb, y castell yn cynrychioli nerth a diogelwch a'r palmwydd – buddugoliaeth. Yr un bathodyn a ddefnyddir yn Coventry. Pam tybed?

Sefydlwyd Cyngor Tref Pwllheli yn 1836 ac am y tro cyntaf cafwyd maer etholedig. Collodd y Cyngor ei statws pan ad-drefnwyd llywodraeth leol yn 1974 gan roi iddo bwerau cyngor cymdeithas ond wedi ei oreuro â swydd maer. Mae'r Cyngor Tref yn parhau i gyfarfod yn Siambr y Cyngor yn Hen Neuadd y Dref.

### Addoldai

Ym Mhenrallt yr oedd eglwys gynnar plwyf Deneio a gysegrwyd i Sant Beuno. Pan ddatblygodd y dref ar y gwastad rhwng yr allt a'r môr penderfynwyd codi eglwys newydd yn 1834 a'i chysegru i Sant Pedr. Codwyd yr eglwys bresennol i gymryd ei lle yn 1886 ar ddull gothig addurniadol. Fe'i cynlluniwyd gan J. Oldrid Scott a defnyddiwyd ithfaen lleol ac ychydig o garreg felen. Ar ochr ddeheuol yr eglwys mae Capel Beuno i goffáu sant y plwyf. Mae iddi ffenestri lliw hardd yn arbennig yr un fawr yn y pen dwyreiniol sy'n darlunio golygfa o Lyfr y Datguddiad a lluniau nifer o seintiau o bob oes. Mewn ffenestr yn yr ochr ogleddol – ffenestr Martin o Tours, mae'r sant hwnnw yn y canol yn gweini ar y trueiniaid. O bobtu iddo mae Sant Asaff a Sant Cyndeyrn, y ddau o Ystrad Clud yn yr Hen Ogledd. Cyfarfu'r ddau yn Nghymru a sefydlodd Asaff ei eglwys yn Llanelwy. Dychwelodd Cyndeyrn i'r Alban ac yno cysylltir ef ag hanesyn am eog yn llyncu modrwy'r frenhines ac yntau'n llwyddo i'w dychwelyd iddi. Ar y *reredos* o bobtu'r allor coffeir y rhai a laddwyd yn y ddau Ryfel Byd. Mae un enw yn eisiau. Roedd un fam mor grediniol y dychwelai ei mab coll o'r drin fel y gwrthododd i neb gynnwys ei enw ar y rhestr.

Y tu allan i Gapel Penlan nodir i'r achos ymneillituol ym Mhwllheli gael ei sefydlu yn 1646. Bu Benjamin Jones yn weinidog yng Nghapel Penlan (A) ac yn ystod ei bregeth yn ffair Llanfyllin yn 1796 y dwysbigwyd yr emynyddes Ann Griffiths. Ym mynwent y capel y claddwyd Sion Wyn o Eifion (1786-1859).

Ceir cyfeiriadau at Gapel Cam yn 1756 (sydd â'i olion ar ben y llwybr yn Deneio sy'n arwain i lawr Allt y Barcty) lle bu'r Methodistiaid cynnar yn addoli. Codwyd y Capel Penmount cyntaf ganddynt yn 1781 a'r un presennol yn 1841. Gwasanaethodd Dr John Puleston Jones yma yn ystod y Rhyfel Byd Cyntaf a dioddefodd erledigaeth oherwydd ei safiad fel heddychwr. Roedd yn ddall ond llwyddodd i oresgyn yr anabledd hwnnw'n rhyfeddol.

Ym mlynyddoedd cynnar y 1860au agorwyd tri chapel newydd ym Mhwllheli, sef Tabernacl (B) a Seion

(W) yn 1861 a Salem (M.C.) yn 1864, ond rhaid fu ail-godi Salem gan iddo gael ei losgi gan un William Ross yn 1913. Bu gan y Methodistiaid gapel arall, Capel South Beach, a dau ysgoldy – Capel Tarsis ar y Maes a Chapel Traeth nid nepell o Benmount. Dim ond tri Phabydd oedd ym Mhwllheli yn 1860, ond ymhen ugain mlynedd roedd ganddynt gapel bychan a gysegrwyd i Sant Joseff. Bellach maent yn addoli mewn adeilad newydd ym Marian y De lle ceir cynulleidfaoedd lluosog, yn arbennig yn ystod yr haf.

### Siopau

Arferai amryw o siopau Pwllheli ddwyn enwau ffermydd Llŷn ac Eifionydd, rhai fel Siop Hirwaun, Siop Caerhydderch a Siop Gaerwen. Byddai'r fferm yn agor busnes yn y dref i'r ail fab tra byddai'r mab hynaf yn etifeddu'r fferm.

Mae'r dref yn ganolfan busnes i Lŷn o hyd a'r ffaith fod archfarchnadoedd yn awyddus i agor siopau yma yn arwydd fod ganddynt ffydd yn ei dyfodol. Dioddefodd canol Pwllheli, fel pob tref arall, o ganlyniad i'r newid ym mhatrwm siopa y blynyddoedd diweddar ond gwerthir amrywiaeth o nwyddau yma, a daw siopwyr o bell i'r siopau sy'n gallu cynnig rhywbeth gwahanol i'r cyffredin, yn siopau dillad, siopau hen ddodrefn, siopau haearnwerthwr a siop lyfrau – Llên Llŷn.

### Cymdeithas Amaethwyr Eifionydd

Sefydlwyd y gymdeithas hon yn Eifionydd yn 1908. Roedd cymdeithasau o'r fath mewn bri yn Iwerddon yn gynharach ac ymwelodd rhai o ffermwyr Eifionydd â hwy. Teimlent y byddai ffermwyr Eifionydd yn cael budd garw o fod yn rhan o gymdeithas o'r fath. Sefydlwyd cymdeithas gyffelyb yn Llŷn yn 1913 a rhai eraill yn dilyn ym Meirion, Arfon a Môn. Erbyn hyn mae cymdeithasau Gwynedd i gyd wedi ymuno â'i gilydd a chânt eu gweinyddu o'r pencadlys ym Mhen Cob. Yma hefyd mae prif Swyddfa'r Post yn y dref.

### Argraffwyr

Bu Pwllheli yn enwog am ei hargraffwyr a gall ymfalchïo mai yma y cyhoeddwyd y papur newydd wythnosol Cymraeg cyntaf i'w werthu am ddimai. Ymddangosodd *Yr Eifion* gyntaf yn 1856 ac fe'i dilynwyd gan *Yr Arweinydd* (pery Gwasg yr Arweinydd mewn bri heddiw). Bu yma bapur wythnosol *Yr Utgorn* hyd 1952. Argraffwyd y llyfr cyntaf ym Mhwllheli yn 1735 ar wasg bren a fu unwaith ym meddiant Lewis Morris. Argraffwyd *Addysg Chambers i'r Bobl*, cyfieithiad Cymraeg gan Eben Fardd, a llu o lyfrau eraill.

### Plaid Cymru

Mewn caffi o'r enw Maes Gwyn ar y Maes y sefydlwyd Plaid Genedlaethol Cymru yn ystod wythnos Eisteddfod Genedlaethol 1925. Erbyn hyn mae'r caffi yn siop bwyd anifeiliaid a gwelir plac ar yr adeilad i goffáu'r sefydlu.

### Eisteddfodau

Ymwelodd yr Eisteddfod Genedlaethol â Phwllheli deirgwaith. Yn 1875 codwyd pafiliwn ym Mhenrallt i ddal cynulleidfa o 4,000. Yn anffodus ni fu'r adeiladwyr yn ddigon gofalus wrth ei doi gan i'r gynulleidfa wlychu'n arw ar y bore agoriadol! Ond llifodd y torfeydd yno pan dywynnodd yr haul a gwnaed elw o £46.

Gwahoddwyd yr Eisteddfod i Bwllheli am yr eildro yn 1925 a'r tro hwn codwyd pafiliwn, a chynhaliodd yr Orsedd ei seremonïau ar y Garn Bach. Cafwyd eisteddfod hynod o lwyddiannus eto a rhoddodd hwb i Gymdeithas yr Eisteddfod Genedlaethol i wynebu'r dyfodol yn hyderus. Enillwyd y prif wobrau llenyddol gan Dewi Morgan, Aberystwyth am awdl i 'Gantre'r Gwaelod' a'r Goron gan Wil Ifan am ei bryddest *verse libre* 'Bro fy Mebyd'.

Nid llwyddiant ariannol yn unig a gafwyd yn 1955 ond trwy ysbrydoliaeth Harri Gwynn, yr Ysgrifennydd Lleol a'i lu cydweithwyr, cafwyd paratoi brwd ac eisteddfod i'w chofio a'r haul yn tywynnu gydol yr wythnos. Roedd y Maes ar safle Ysgol Glan-y-Môr a pharcio ar y Prom! Cynan, fel yr Archdderwydd, gafodd y fraint o groesawu'r Eisteddfod oddi ar y Maen Llog ar Forfa'r Garreg flwyddyn ynghynt. Dyfnallt oedd wrth y llyw yn seremonïau'r Orsedd pan goronwyd W.J. Gruffydd, y Glog ac y cadeiriwyd Gwilym Ceri Jones. Richard Rees, Pennal enillodd y Ruban Glas.

Yn ôl Hywel Teifi Edwards, 'Ni ddaeth y "Genedlaethol" i Bwllheli unwaith heb adael y dref ymhen yr wythnos yn ysgafndroed'.

Ni ddaeth y Genedlaethol i Bwllheli wedyn ond croesawyd Eisteddfod yr Urdd yma yn 1982 ac eto i'r ardal yn 1998. Bu bri ar Eisteddfod y Plant ym Mhwllheli pan sefydlwyd cyfres ohonynt gan ddechrau yn 1884. Yn hon yn 1911 yr enillodd Cynan ei gadair gyntaf a hynny nid am farddoniaeth ond am lwyddiant mewn arholiad.

**Cynan** (Albert Evans Jones,1895-1970)
Cynan yw prif fardd Pwllheli ac er na fu byw yn y dref am y rhan helaethaf o'i oes ac iddo gael ei gladdu ym Mhorthaethwy yn 1990, parhaodd ei ymlyniad â'i dref enedigol. Cyflwynwyd iddo ryddfraint y dref a chyfeirir at amryw byd o lecynnau cyfagos yn ei farddoniaeth, megis Ffynnon Felin Bach ym mhryddest 'Mab y Bwthyn', Tocyn Brwyn, Tŵr Capel Batus a Glan Môr Solomon yn 'Baled Largo o Dre Pwllheli', a hiaetha am afon Talcymerau yn 'Hwiangerddi' ac fe roddai'r 'cyfan heno am Draethell Aber-erch' yn 'Ym Min y Môr'. Gwelir cwpled o eiddo Cynan ar blac a osodwyd ger Pont Pen Cob i gofio am yr amgylchiad pan gysylltwyd y dref â'r grid nwy. Gosodwyd plac ar ei gartref, Liverpool House, yn Stryd Penlan. Trefnwyd Gŵyl Cynan yn 1995 i ddathlu canmlwyddiant ei eni. Dangosodd Gorsedd y Beirdd faint ei gwerthfawrogiad o gyfraniad Cynan iddi nes gwneud eithriad a chynnal Gorsedd yn yr ŵyl, y tu allan i batrwm yr Eisteddfod Genedlaethol. Ymladdodd Cynan yn ddycnach nag odid neb i warchod rheol Gymraeg yr Eisteddfod Genedlaethol, ac i lawer ef oedd yr Eisteddfod.

**Yr Athro J.R. Jones**
Mae plac ar ei gartef yn Stryd Penlan i'w goffáu. Derbyniodd ei addysg ym Mhwllheli a graddio yn Aberystwyth.

Derbyniodd radd doethur mewn athroniaeth a daeth yn Athro Athroniaeth yng Ngholeg y Brifysgol Abertawe. Ymboenai'n fawr am gyflwr Cymru a'r iaith Gymraeg a dangosodd arweiniad i Gymdeithas yr Iaith yn y 1960au yn ei anerchiadau a'i lyfrau. Bu farw yn Abertawe ac fe'i claddwyd ym Mhwllheli.

### Hanesydd y Dref

Mae pob un sydd yn ceisio casglu unrhyw wybodaeth am hanes Pwllheli yn dra ffodus gan fod D.G. Lloyd Hughes, yn wreiddiol o'r dref, wedi ymchwilio'n drylwyr i bob tamaid posibl o dystiolaeth sydd ar gael. Cyhoeddodd gyfrol swmpus *Hanes Tref Pwllheli* yn 1986 a phan fu galw am hanesion capeli Penmount a South Beach ac Eglwys Sant Pedr cyhoeddodd gyfrolau manwl. Ef a draddododd ddarlith flynyddol gyntaf Clwb y Bont – 'Hen Bwllheli' yn 1977.

### Bwyta, Yfed a Dirwest

Ceir mannau bwyta da yn y dref sy'n cynnig amrywiaeth o gig *rosé* Llŷn i brydau Indiaidd, Tseineaidd ac Eidalaidd. Erbyn heddiw saith tafarn yn unig sydd yma gyda bron yr un nifer o glybiau. Roedd deugain o dafarnau ym Mhwllheli yn 1836 ac nid rhyfedd felly i'r mudiad dirwest fod yn frwd a phoblogaidd. Cynhaliwyd Gŵyl Ddirwestol am ddeuddydd yn 1837 gydag un cyfarfod yng Nghapel Penmount yn dechrau am chwech o'r gloch y bore a gwelyd tua 2500 yn gorymdeithio ar strydoedd y dref. Ond cuddiodd dau flaenor Capel Penmount oriadau'r drysau yn 1842 er mwyn rhwystro cynnal cyfarfod dirwest yno!

Addaswyd nifer o'r tafarnau ond cadwodd Penlan Fawr – adeilad hynaf y dref – ei chymeriad gwreiddiol, a cheir awyrgylch gartrefol braf yn y *Black Lion*.

### Hamddena

Prif atyniad Pwllheli yw ei thraethau a'r harbwr a'i gysylltiadau hwylio. Derbyniodd y traeth Faner Las y Gymuned Ewropeaidd a ddyfernir i draethau sy'n cyrraedd safon arbennig am eu glanweithdra, a dichon y rhoddir yr un statws i lan môr Glan Don yn y man.

Mae nifer o lwybrau hwylus i'w cerdded a'r cylchdro o gwmpas y dref yn hynod o ddifyr, gyda'r olygfa o Ben Garn i gyfeiriad Garn Fadrun, yr Eifl ac Eryri a thros y dref a Bae Ceredigion yn goron ar y cyfan.

Lleolir Canolfan Hamdden Dwyfor yng nghyffiniau Marian y Môr a chynigir ynddi amrywiaeth o weithgareddau awyr agored a than do. Yma mae cae pêl-droed timau'r dref, y timau sydd yn llinach rhai fel Tommy Jones, Orig Williams a Tharw Nefyn.

Adnewyddwyd Neuadd y Dref yng nghanol y 1990au. Enwyd yr awditoriwm yn Neuadd Dwyfor sy'n sinema ac yn neuadd i gyngherddau a dramâu. Symudwyd Llyfrgell y Dref i'r adeilad hwn yn ddiweddar. Portreadir Llŷn yn grefftus mewn gwydr uwchben y swyddfa docynnau.

# Llwybr y Pererinion

Mae Penlon Caernarfon (A499) yn dringo o dref Pwllheli drwy Nant Stigallt ymlaen at y gwastad yn Llwynhudol neu Greigiau Iocws. Ar ben yr allt mae ffordd lai yn arwain i lawr i Aber-erch, pentref sydd â'i hanner yn Llŷn a'i hanner yn Eifionydd gan fod y ffin naturiol, sef afon Erch yn rhedeg drwy ei ganol. Cyn datblygu harbwr Pwllheli a gosod dorau i rwystro'r llanw rhag llifo yn ôl i fyny afon Erch âi llongau i fyny i gyfeiriad Aber-erch. Yn y cae gyferbyn â Thrigfa, rhwng y ffordd fawr A497 (Porthmadog i Bwllheli) a'r môr, gwelir carreg dal ar, ei phen yn y ddaear. Carreg drai yw hon a ddangosai i'r morwyr beth oedd dyfnder y dŵr. Gerllaw mae tŷ o'r enw Rodyn sy'n awgrymu y deuai llongau calch i fyny hyd ati i ddadlwytho, ac yn nes am Bwllheli mae bwthyn yn dwyn yr enw diddorol Rhyd y Gwichiaid.

Wedi dychwelyd i'r lôn bost (A499) a'i dilyn ymlaen gwelir Ysbyty Bryn Beryl ar y chwith, sy'n gwasanaethu ardal eang gyda'i ofal am bobl o bob oed, o fabanod i henoed.

O Fryn Beryl gellir oedi i edrych ar olygfa ysblennydd ac eang o arfordir Eifionydd tuag at Gricieth, Moel y Gest, Eryri, Meirionnydd ac ehangder Bae Ceredigion. Ychydig islaw'r ffordd gyferbyn â Bryn Beryl mae Ffynnon Cawrdaf (SH 39193753).

Ymlaen ar y dde eir heibio i hen Ysgoldy Plas-gwyn a meithrinfa ffyniannus Tyddyn Sachau. Ar gyrion y Ffôr mae cromlech ar dir fferm y Gromlech. Dywed traddodiad y claddwyd Rhydderch Hael yma. Nodir mewn hen lawysgrifau iddo ymladd gydag Urien Rheged yn erbyn brenin Northumbria yn niwedd y chweched ganrif a'i fod yn frenin yn yr Alban ac yn gyfaill i Sant Columba. Ceir cyfeiriad ato yn Englynion y Beddau yng Nghanu Llywarch Hen: 'in abererch riderch hael'.

Yn ail hanner y bedwaredd ganrif ar bymtheg deuai pysgotwyr o Ynys Manaw i bysgota i Fae Pwllheli. Roedd rhain yn bobl grefyddol iawn. Ni fyddent yn pysgota ar y Sul a rhoddwyd caniatâd iddynt gynnal gwasanaeth yn Neuadd y Dref. Arferent fynd ar bererindod i eglwys Aber-erch i dalu gwrogaeth i Rydderch Hael. Ystyrient ef yn arwr Manawaidd ond credent hwy mai o dan garreg ar ochr ogleddol yr allor yn eglwys Sant Cawrdaf y claddwyd ef.

Pentref a godwyd yn gymharol ddiweddar yw y Ffôr – yr enw yn ymdrech wan i Gymreigio'r ffurf Fourcrosses a'r enw hwnnw wedi tarddu o enw tafarn a leolwyd ar y groesffordd. Yr hen enw ar y fan yma oedd Uwchgwystl. Mae Canolfan y Gwystl yn ganolfan aml-bwrpas a daw ieuenctid o gylch eang iddi yn ddyddiol lle cyflwynir profiadau eang iddynt. Yng ngerddi'r Gwystl saif maen hir.

Mae ardal y Ffôr yn frith o fân ddiwydiannau sy'n cyflogi cyfanswm sylweddol o bobl – o ffatri gaws i ffatri tiwbiau plastig, ffatrïoedd jam a dodrefn.

Ar y ffordd i Chwilog yn Rhydygwystl mae Hufenfa De Arfon, neu'r 'ffatri laeth' fel y'i gelwir, a sefydlwyd yn 1938 yn fudiad cydweithredol gan ffermwyr i gasglu a thrin llefrith. Ar un adeg bu'n cyflogi dau gant o weithwyr ac fe ddeil i ddatblygu a pharhau i fod yn un o gyflogwyr amlycaf yr ardal gyda phwyslais bellach ar gynhyrchu caws a werthir o dan label y ffatri ei hun neu yn enw un o'r prif archfarchnadoedd. Mae pawb sy'n teithio i Geredigion yn gyfarwydd â thanceri anferth Mansel Davies sy'n casglu maidd yn ddyddiol oddi yma. Nid effeithiodd dyfodiad *Milk Marque* fawr ar y ffatri a da yw gweld bod rhai o ffermwyr Môn a Cheredigion yn parhau i anfon eu llefrith i'r ffatri. Mae afon Erch yn llifo drwy iard y ffatri laeth – a dyna ein ffin ag Eifionydd.

Un o'n henglynwyr mwyaf poblogaidd oedd John Rowland ac yn y Ffôr y cartrefai. Cyhoeddodd gyfrol o'i farddoniaeth *Olwynion Aflonydd*.

Datblygu o gwmpas y groesffordd wnaeth y Ffôr, gyda'r ffordd fawr o Bwllheli i Gaernarfon yn cael ei chroesi gan ffordd dra unionsyth (yr A4354) a adeiladwyd yn dilyn sefydlu Cwmni Tyrpeg Porth Dinllaen yn 1803 gyda'r bwriad o gysylltu Dulyn â Llundain drwy borthladd Porth Dinllaen.

Ar y ffordd fawr hon mae Rhos-fawr gyda'i ychydig dai, capel batus Tyddyn Sion a melin goed Hendre Bach. Gerllaw mae Crymllwyn Bach, cartref John Elias o Fôn (1774-1841). Yn nes ymlaen mae Pemprys ac os troir i'r chwith yno deuir i Bentre-uchaf. Ar y dde mae'r ffordd yn dringo i Lithfaen.

Enwyd ysgol gynradd y Ffôr yn Ysgol Bro Plenydd i gofio am Plenydd, un o wŷr amlycaf y pentref. Mae Ysgol Hafod Lon gerllaw yn cynnig addysg i blant dan anfantais meddyliol. Dyfarnwyd medal aur pensaernïaeth yr Eisteddfod Genedlaethol i bensaer lleol, John S. Williams, am gynllunio'r adeilad hwn. Gwêl Arfon Huws ('Llyn y Garreg Ateb') adlewyrchiad o'r gromlech leol yn yr adeilad a Moel Carnguwch a Thre'r Ceiri yn y tirluniad twmpathog.

Mae'r lôn bost o'r Ffôr draw i gyfeiriad Caernarfon yn mynd heibio i ffatri jam y *Welsh Lady*. I'r chwith mae'r ffordd yn arwain i Lwyndyrys – ardal wledig amaethyddol. Yno mae Cwmni Drama Llwydyrys yn cyfarfod; cwmni sydd wedi ennill prif wobrau eisteddfodau a gwyliau drama ac sydd wedi diddori cynulleidfaoedd ledled Cymru er 1964 gydag amrywiaeth cyfoethog o ddramâu. I fyny mewn llecyn heddychlon ar lethrau'r Eifl mae Eglwys Carnguwch, un o bedair eglwys Beuno yn Llŷn. Adeiladwyd hi yn 1882 ar safle hen fynwent gron. Mae mewn safle hyfryd rhwng yr Eifl ac afon Erch a da deall bod cynlluniau ar y gweill i'w hatgyweirio hi a'r fynwent. Arferid dweud y gallai teuluoedd ffermydd Penfras glywed ceiliogod chwe phlwyf yn canu yn y bore – plwyfi Aber-erch, Carnguwch, Llanaelhaearn, Llangybi, Llannor a Phistyll.

Mae'r ffordd fawr yn disgyn i ddyffryn bychan ac yno y croesir afon Erch dros Bont Rhyd Goch. Mae mynyddoedd yr Eifl i'w gweld yn hardd y tu hwnt i'r tir corsiog gyda Moel Carnguwch (359m) ar y chwith, yr Eifl (564m) yn y canol a Thre'r Ceiri (480m) ar y dde. O gyfeiriad Caernarfon a Chlynnog gwelir tri chopa'r Eifl yn glir ac yn urddasol a'r cadernid a welir yn yr olygfa hon fu'n un symbyliad i lunio'r triban yn fathodyn i Blaid Cymru.

Ym mhen draw'r ffordd unïonsyth mae pentref Llanaelhaearn, y gellir ei ystyried yn rhan o Lŷn yn ogystal ag Arfon ac Eifionydd. Mae amryw o nodweddion cyfoethog yma y mae Llŷn yn falch o'u perchenogi.

Yma yn nechrau'r 1970au – dan arweiniad y meddyg teulu lleol Carl Clowes – aed ati i geisio bywiogi'r ardal ac achub yr ysgol oedd dan fygythiad. Canlyniad y deffro hwn fu sefydlu Antur Aelhaearn – 'y gymdeithas waith gydweithredol gyntaf ym Mhrydain'. Yn y man cynhyrchwyd dillad gwlân a chrochenwaith a llwyddwyd i godi canolfan i'r Antur. Bu'n fenter fywiog a llwyddiannus am flynyddoedd ac yn batrwm a ddilynwyd gan ardaloedd eraill.

Mae'r ffordd gyferbyn â'r *Ring* (Tafarn yr Eifl) yn arwain i fyny'r allt heibio i Gapel y Babell a'r ysgol ac at eglwys dlos Sant Aelhaearn.

Yn y groesffordd nesaf mae ffordd fawr y B441 – o'i dilyn i'r chwith – yn arwain hyd ochrau'r Eifl a Thre'r Ceiri ac i fyny am Lithfaen. Ar waelod y rhiw mae Ffynnon Aelhaearn a chyferbyn gwelir fferm Uwchlaw'r Ffynnon. Yma y bu Robert Hughes (1811-92) yn byw – yn ffermio ac yn pregethu. Pan oedd yn ŵr ifanc roedd yn ofni marw ac nid oedd am i'w fam weld hynny'n digwydd iddo. Felly aeth yn borthmon gyda gyr o wartheg i Lundain gan obeithio y byddai hynny'n gymorth iddo ddysgu Saesneg. Yno cafodd waith mewn ffatri sebon. Ymhen tair blynedd dychwelodd i Lanaelhaearn i ffermio lle bu'n gweithio oriau meithion cyn ymroi ati wedyn yn hwyr y nos i ddarllen llyfrau meddygaeth a gramadegau Groeg a Hebraeg ac i lenydda. Dechreuodd bregethu a chrwydrodd Gymru ar deithiau pregethu a sefydlu'r achos yn y Babell. Yn drigain oed dechreuodd arlunio gan ganolbwyntio ar bortreadau a chyrraedd safon 'oedd yn destun syndod dan yr amgylchiadau' yn ôl Elis Gwyn Jones.

Gor-ŵyr Robert Hughes oedd Syr Dafydd Hughes Parry a aned yn Uwchlaw'r Ffynnon yn 1893. Roedd yn ysgolhaig disglair ym myd y gyfraith ym Mhrifysgol Llundain. Arno ef y gosodwyd y cyfrifoldeb o gadeirio'r pwyllgor a argymhellodd y dylid codi statws yr iaith Gymraeg a derbyn Egwyddor Dilysrwydd Cyfartal yn 1965.

Gellir cerdded i gopa Tre'r Ceiri wrth ddilyn y llwybr serth sydd gyferbyn â Gellïau. Mae'r ffordd yn dringo i fyny i Fwlch Siwncwl, rhwng Moel Carnguwch ar y chwith a Thre'r Ceiri ar y dde. Bwlch Drws yr Encil yw'r ffurf wreiddiol ar yr enw. Dyma'r olygfa a wynebai'r pererinion oedrannus a llesg wrth iddynt encilio i Enlli. Wrth fynd drwy'r Bwlch (250m) mae holl ryfeddodau Pen Llŷn i'w gweld yn ymestyn am filltiroedd – y gadwyn o Fynydd Nefyn, Garn Boduan a Garn Fadrun ac ymlaen hyd Fynydd y Rhiw, Anelog ac Enlli. I'r chwith gwelir Bae Ceredigion ac arfordir deheuol Llŷn ac mae arfordir gogleddol Llŷn dros Nefyn a Phorth Dinllaen i'w weld yn glir ar y dde.

Fel yr awgryma enw pentref Llithfaen, ithfaen yw'r graig sydd o dan bridd tenau yr ucheldir a ddatblygodd yn gymuned yn sgîl y galw am sets ithfaen i wynebu strydoedd dinasoedd Lloegr a thu hwnt flynyddoedd yn ôl. Caewyd yr ysgol yn sgîl diboblogi, a chaeodd Tafarn y Fic a'r siop, ond ymhen rhai blynyddoedd, trwy ymroddiad a brwdfrydedd, fe'u hail-agorwyd yn fusnesau cydweithredol.

Yma y trigai John Williams (Sion Singer) a gyhoeddodd y llyfr cyntaf erioed yn Gymraeg a hwnnw'n llyfr dysgu cerddoriaeth – *Cyfaill Mewn Llogell*.

Bu Griffith R. Williams, yntau o Lithfaen, fyw hyd nes yr oedd yn gant ac wyth oed. Ar ôl iddo droi ei gant oed aeth ati i grynhoi hanes y chwareli a'r ardal yn ddifyr yn ei hunangofiant *Cofio Canrif* a gyhoeddwyd yn 1990.

Wynebodd cymdeithas ochrau'r Eifl galedi ar hyd y blynyddoedd, yn arbennig felly pan ddechreuwyd gwahardd y dyn cyffredin rhag arfer ei hawl i roi ei anifail i bori ar y tir comin a rhag codi tai unnos. Dyma oedd ei hawl yn ôl yr hen gyfraith Gymreig. Ond yn sgîl y Chwyldro Diwydiannol a rhyfeloedd Napoleon aed ati i fesur ac i gau'r tiroedd comin. Ni dderbyniodd y gymdeithas yn Llithfaen hyn yn ddiwrthwynebiad ac o dan arweiniad Robert Hughes Cae'r Mynydd ymladdodd y trigolion yn ddi-ildio. Hyd yn oed pan anfonwyd y *Dragoons* o Loegr i Lithfaen nid oedd sôn am ildio. Ond y diwedd fu i Robert Hughes gael ei ddal a'i ddedfrydu i dreulio gweddill ei ddyddiau yn Botany Bay, Awstralia. Ni ddychwelodd adref er mai'r cyfan a wnaeth oedd ymladd dros iawnderau ei gymdeithas. Gwnaed gwaith ymchwil manwl gan Ioan Mai Evans; llwyddodd i gasglu tystiolaeth yn

dangos y bu Robert Hughes farw yn 1831 pan oedd yn henwr deg a thrigain oed yn Port Macquaire, Awstralia ac yntau wedi treulio deunaw mlynedd yng ngharchar.

Yn y cyfnod hwnnw, er mwyn cael deupen llinyn ynghyd, arferai gwragedd tyddynnod yr Eifl fynd allan i gasglu grug a'i gario'n feichiau ar eu cefnau i Bwllheli lle y'i gwerthid i'w roi dan boptai'r dref. Byddent yn cael rhwng dwy geiniog a chwe cheiniog am bob baich cyn dringo'r saith milltir yn ôl adref a dechrau casglu wedyn ar gyfer trannoeth.

Mae'r ffordd sy'n arwain i'r dde o'r groesffordd yng nghanol Llithfaen yn dringo i Ben Nant lle mae'r maes parcio ar gyfer ymweld â Nant Gwrtheyrn. Ger y maes parcio mae'r ffordd yn fforchio a'r ffordd i'r dde yn arwain i Fwlch yr Eifl, uwchben Gwaith Mawr Trefor lle gwelir olion y chwarel a oedd unwaith yn chwarel ithfaen fwyaf y byd. Islaw mae pentref Trefor a'r olygfa yn ymestyn ymlaen ar hyd yr arfordir i gyfeiriad Caernarfon a Môn. O'r Gwaith Mawr y cloddiwyd meini coffa Llywelyn Ein Llyw Olaf sydd yng Nghilmeri, Hen Ŵr Pencader ac I.D. Hooson ac ar gyfer gwneud cerrig cwrlio. Bydd dilyn y llwybr i'r dde yn arwain yn raddol at Dre'r Ceiri.

Ganrif a mwy yn ôl bu Nant Gwrtheyrn yn fwrlwm o brysurdeb. Roedd y darn hwn o arfordir yn gartref i dair chwarel – Porth y Nant, Carreg y Llam a Chae'r Nant. Rhaid fyddai cerdded y gamffordd i fyny ac i lawr o'r Nant a heddiw gellir gweld olion y ffordd serth honno yn y coed bythwyrdd sydd o bobtu'r ffordd darmac newydd. Defnyddid y

*Nant Gwrtheyrn*

gamffordd i brofi beiciau modur flynyddoedd yn ôl. Ar ddechrau'r ugeinfed ganrif roedd tua dau gant o bobl yn byw yma gyda siop, ysgol a chapel i wasanaethu cymdeithas bur hunangynhaliol. Roedd yn bentref cymysg ei iaith gan i nifer o Wyddelod, Albanwyr a Saeson ymfudo i'r Nant. Ceir arweiniad manwl am y ffordd ddifyrraf i ddod i adnabod yr ardal hon yn nhaflen *Cylchdaith Nant Gwrtheyrn* sydd ar gael yn Swyddfa'r Nant neu Gaffi Meinir.

O'r tro mawr ar y ffordd newydd ceir golygfa drawiadol o'r pentref a achubwyd rhag dadfeilio ymhellach pan sefydlwyd y Ganolfan Iaith Genedlaethol yn 1978. Ymadawodd y trigolion olaf yn 1959 yn dilyn cau'r chwareli ac o dipyn i beth dadfeiliodd yr adeiladau – y ddwy res o dai chwarelwyr, y capel a thŷ'r rheolwr. Y

lanfa a'r gamffordd oedd yr unig gyfryngau – er eu bod yn ddigon anhwylus – o gysylltu'r Nant â'r byd mawr y tu allan.

Ni fu gwireddu breuddwyd y meddyg Carl Clowes o sefydlu'r Ganolfan Iaith yn un esmwyth ond gyda dycnwch a dyfalbarhad llwyddwyd i oresgyn anawsterau. Drwy ehangu gorwelion y weledigaeth wreiddiol mae dyfodol y Ganolfan yn sicrach nag erioed. Yma hefyd mae Canolfan Ieithoedd Lleiafrifol Ewrop.

Yn y cyfnod pell, pell yn ôl, yma yn y Nant y trigai Gwrtheyrn, y brenin a drodd yn fradwr, a Rhys a Meinir, prif gymeriadau chwedl enwog y Nant.

O dro i dro gwelir geifr gwyllt yr Eifl ar y llethrau, a'r frân goesgoch yn hedfan yn swnllyd uwchben y creigiau. Mae coedwig Gallt y Bwlch yn lle arbennig iawn. Gellir dilyn llwybr ar hyd yr arfordir o Nant Gwrtheyrn draw i Garreg y Llam a dychwelyd i'r ffordd fawr rhwng Llithfaen a Phistyll. Mae'r tir o Garreg y Llam – lle mae'r bilidowcar, y llurs, y gwylog a'r wylan goesddu yn nythu – hyd at eglwys Pistyll yn eiddo i'r Ymddiriedolaeth Genedlaethol.

Cadwyd Eglwys Sant Beuno, Pistyll yn ei chyflwr hynafol. Roedd yn un o'r prif safleoedd gorffwys ac addoli ar Ffordd y Pererinion i Enlli. Yn y wal ogleddol yn agos i'r allor mae ffenestr y gwahanglwyfion a thrwy hon gallai'r trueiniaid hynny sefyll y tu allan i'r adeilad a gwylio'r offeiriad yn gweinyddu'r cymun. Mae gweddillion gardd berlysiau yma o hyd – planhigion gwerthfawr ar gyfer trin doluriau a chynnig meddyginiaeth i'r mynaich blinedig ar eu taith i Enlli.

Yn y fynwent hon y claddwyd Rupert Davies a fu'n actio Maigret yn y cyfresi teledu du a gwyn.

Ar wyneb Capel Bethania mae llun y Parchedig Tom Nefyn Williams yn edrych i fyny i gyfeiriad yr Eifl ac arno yr arysgrif 'Chwarelwr, Cymwynaswr, Efengylwr'. Ef oedd y gweinidog hynod hwnnw a safodd yn ddiwyro dros ei argyhoeddiadau yn y Tymbl ac a lwyddodd i gynhyrfu'r miloedd gyda'i bregethu unigryw mewn sasiwn ac ar gornel stryd ar ddiwrnod ffair gydol ei oes.

Coffawyd ef mewn englyn gan John Rowlands:

O Iewych Galilea – a Chanaan
 Cychwynnodd ei yrfa;
 Daliodd i'r funud ola'
 Yn dyst i'r Newyddion Da.

Magwyd Tom Nefyn yn Bodeilias, ffermdy a welir ar y chwith wrth fynd i lawr yr allt i gyfeiriad Nefyn.

Mae'r olygfa yng nghyffiniau'r arhosfan ar y dde wrth adael y pentref yn rhyfeddol. Gwelir baeau Nefyn a Phorth Dinllaen i un cyfeiriad a Charreg y Llam i'r cyfeiriad arall.

Drylliwyd llong y *Sapho* ar y creigiau yma yn 1839. Cariai lwyth o driog. Pan sylweddolodd y capten fod y criw mewn perygl rhoddodd ddwy sofrén yr un iddynt i dalu am eu claddu pe digwyddai'r gwaethaf. Yn anffodus fe gollwyd y criw ond y bore canlynol daethpwyd o hyd i fachgen yn cysgu'n ddiogel mewn casgen ar y traeth. Ef yn unig a achubwyd. Deuai llongau i'r doc ar Drwyn Bodeilias a Stej y Wern i lwytho cerrig – sets ithfaen o Chwarel y Gwylwyr ar Fynydd Nefyn.

Nefyn oedd prif dref cwmwd Dinllaen ac aiff ei hanes yn ôl ganrifoedd. Yn 1294 roedd Nefyn yn dref bysgota bwysig a bu'n hynod am ei phenwaig ar hyd y blynyddoedd. Cyfeirid atynt fel 'bîff Nefyn' ac yn werth i'w prynu am fod ganddynt 'gefna fel ffarmwrs, a bolia fel tafarnwrs'! Y gri yn un o'r caneuon lleol oedd:

Prynwch benwaig Nefyn,
Ni bu eu bath am dorri newyn,
Prynwch benwaig Nefyn
Newydd ddod o'r môr.

Tri phennog welir ar arfbais Nefyn a phob dim sy'n berthynol i'r dref.

Roedd popeth yn Nefyn yn troi o gwmpas y môr. Ar y traeth adeiladwyd nifer helaeth o longau a bu'r bae yn llochesfa i longau mewn tywydd garw. Roedd gan bob teulu berthynas ar y môr a gellir yn hawdd ddychmygu'r

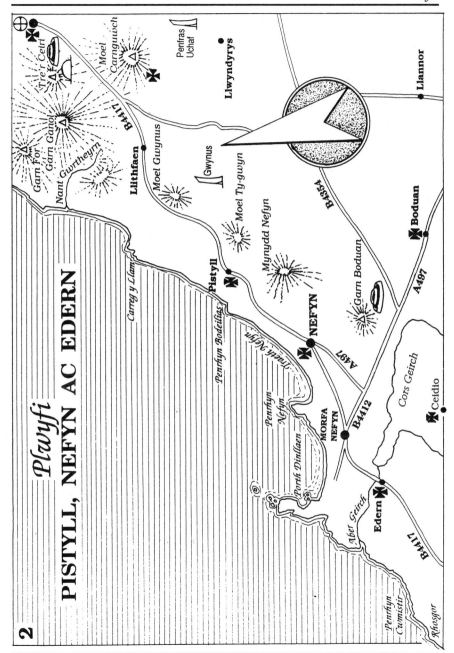

**2**

*Plwyfi*
**PISTYLL, NEFYN AC EDERN**

llawenydd pan ddychwelai llong a'i chriw i ddiogelwch y bae o bellter byd, neu'r gofid a'r hiraeth pan ddeuai newyddion am golli llong. Mae mynwentydd Nefyn yn dwyn tystiolaeth drist, os nad ddiddorol, i ni heddiw am y llongwyr a'r capteiniaid a gollwyd neu a gofnodwyd gydag enwau eu llongau ar eu cerrig beddi. Ar gyrion y dref mae'r tai mawr yn arwydd o gyfoeth y capteiniaid hynny. Mae enwau tai eraill, megis Ancon, yn dwyn enwau llongau a berthynai i deuluoedd Nefyn.

Arferai gwragedd a phlant ddringo i ben Twr Pen y Bryn i graffu'n ddisgwylgar am longau Nefyn gan ddychmygu pa drysorau o wledydd pell a geid y tro hwn i addurno dresel a silff ben tân. Byddai'r capteiniaid hwythau wedi cerfio llongau hwyliau bychain yn ystod undonedd eu teithiau ac yn ymlacio ar dir sych wrth eu hwylio ar Bwll Penrallt a'u rasio yn erbyn llongau ei gilydd.

Cysegrwyd hen eglwys Nefyn i Fair – i'r santes Nefyn cyn hynny yn ôl pob sôn. Fe'i lleolir yn rhan hynaf y dref a elwid bryd hynny yn Llanfair yn Nefyn. Bellach mae'r eglwys yn amgueddfa fôr ac yn llwythog o greiriau sy'n ymwneud â'r môr. Mae'n agored yn ystod misoedd yr haf. Ar ben ei thŵr sgwâr mae ceiliog gwynt ar ffurf llong hwyliau drimast. Sefydlwyd priordy yn Nefyn yn y ddeuddegfed ganrif ym Mryn Mynach, nid nepell o'r eglwys hon. Tybed ai yno y treuliodd Gerallt Gymro noswyl Sul y Blodau 1188 pan ymwelodd â Nefyn ar ei daith o gwmpas Cymru gyda'r Archesgob Baldwin.

Lleolwyd y nofel *Plant y Mynachdy* o gwmpas y mynachdy hwn. Dyma un o nofelau yr awdures boblogaidd Elisabeth Watkin Jones (1888-1966) a aned yn Nefyn. Nofelau eraill o'i heiddo yw *Y Dryslwyn, Cwlwm Cêl, Esyllt* a'r fwyaf poblogaidd – *Luned Bengoch.*

Y Groes yw canol Nefyn gyda phedair stryd yn cyfarfod yma. Stryd y Ffynnon ddaw i lawr o Bistyll a'r ffynnon honno i'w gweld mewn adeilad bychan solet yn agos i'r Groes. Mae Stryd y Plas yn arwain i Fynydd Nefyn. Ynddi mae Tŷ Halen, sy'n ein hatgoffa o'r galw oedd am halen ar gyfer halltu'r penwaig. Y brif stryd siopa yw'r Stryd Fawr sy'n arwain at groesffordd Bryn Cynan a Phwllheli. Wrth ymadael â Nefyn ar y ffordd hon eir heibio i Gae Iorwerth ar y chwith, sy'n ein hatgoffa y bu Edward y Cyntaf yma yn 1284. Ymwelodd â Nefyn ar ei daith fuddugoliaethus drwy ogledd Cymru ac i ddathlu'r achlysur cynhaliwyd twrnameint neu Fwrdd Crwn yn y pant rhwng y ffordd fawr a Garn Boduan ar Gae Iorwerth a Chae Ymryson. Heidiodd marchogion o Loegr a thramor yma a dywedir i'r brenin 'wneud paratoadau helaeth a chostus'.

Derbyniodd Nefyn statws bwrdeistref yn 1355 gan y Tywysog Du, mab Edward y Trydydd, gan roi trwydded iddi gynnal marchnad a ffair. Rhoddwyd Nefyn yn rhodd i Nigel de Lohareyn gan roddi iddo'r hawl i gadw'r arian a dderbyniai'r dref.

Mae'r bedwaredd ffordd o'r Groes yn mynd heibio i Dŵr Pen y Bryn ac Eglwys Dewi Sant, yr eglwys newydd ar y dde, a godwyd yn 1904. Yn y ffenestr ddwyreiniol gwelir darlun o Grist wedi ei amgylchynu â'r seintiau a'r eglwysi sy'n gysylltiedig â Ffordd y Pererinion. Ar ochr chwith y ffordd mae gwesty Nanhoron a'i enw yn tystio i gysylltiad clòs teulu'r stad honno â Nefyn. Roedd teulu Madryn yn amlwg yma hefyd ac enwyd y neuadd a godwyd yng nghanol y dref er parch iddynt.

Mae'r Lôn Gam yn arwain i lawr yn droellog i draeth braf Nefyn. Manteisiodd y Prifardd Emrys Edwards ar ei harddwch yn ei 'Awdl Foliant i Gymru':

Mae haul ar dywod Melyn
Haf y De lle mae nef dyn.
– A nofiaist ym Mae Nefyn?

Mae'n draeth hynod o boblogaidd ac ymwelwyr wedi heidio iddo bob haf ers dyddiau cynnar y diwydiant twristiaeth. Flynyddoedd yn ôl byddai hogia Nefyn yn barod iawn i rwyfo'r ymwelwyr o gwmpas y bae yng nghychod John a Mêr:

Ddiwedd yr haf fe haliwn y cychod,
Haliwn y cychod, haliwn y cychod,
Ddiwedd yr haf fe haliwn y cychod,
Cychod John a Mêr.
Pwl bach ar y *Wili*, a'r hen *Felinheli*
Pwl bach y *Lilliy*,
Ond cario'r hen *Rob Roy*.

Ym mhen pellaf y traeth yr arferid adeiladu llongau ac mae'n hawdd iawn cerdded ar hyd ben yr allt cyn belled â hynny ac ymhellach i Borth Dinllaen – a thu hwnt – ar hyd y llwybr hamddenol hwn.

Un o achlysuron mwyaf poblogaidd y flwyddyn yn yr ardal yw sioe Nefyn a gynhelir yn flynyddol ar Ddydd Llun y Pasg – sioe gynta'r tymor ers diwedd y bedwaredd ganrif ar bymtheg. Arferid

ei chynnal mewn cae yng nghanol Nefyn ond rhaid fu symud i gaeau ehangach ger Bryn Cynan. Yn agos iawn i gaeau'r sioe mae cae clwb pêl-droed Nefyn, clwb Cymreig sy'n cefnogi hogia lleol gan lwyddo i ddal ei ben yn uchel ymhlith clybiau pêl-droed y gogledd.

Brodor o Nefyn yw Robyn Lewis, Prif Lenor Eisteddfod Genedlaethol Dyffryn Lliw, 1970 ac un a ymladdodd yn frwd i ennyn parch i'r Gymraeg a rhoi iddi statws teilwng mewn llysoedd barn.

Pentref cymharol newydd yw Morfa Nefyn, ei gymdeithas yn fywiog a'i ysgol yn cynyddu. Ond beth tybed a gynhyrfodd awdur y rhigwm hwn?

Aberdaron dirion deg
Morfa Nefyn, cau dy geg!

Porth Dinllaen yw traeth Morfa Nefyn a'r maes parcio yng ngheg y ffordd yn arwain i fyny at y clwb golff. Mae mwy o ramant wedi ei wau o gwmpas Porth Dinllaen nag odid unrhyw draeth arall yng Nghymru, diolch yn bennaf i ddylanwad Caneuon Huw Puw o waith J. Glyn Davies. Bu'n borthladd prysur iawn yn ei ddydd a'r prysurdeb hwnnw wedi ei leoli ym mhen pellaf y traeth o gwmpas y pentref bach glan môr a Thŷ Coch, y dafarn. Mae Porth Dinllaen bellach yn eiddo i'r Ymddiriedolaeth Genedlaethol a'i ddyfodol felly wedi ei ddiogelu.

Adeiladwyd nifer o longau yn y bae a bu'n gysgod i gannoedd pan oedd gweddill yr arfordir yn nannedd y storm. Mewnforid llu o nwyddau yma, yn arbennig glo, ac allforid cynnyrch y ffermydd lleol. Oddi yma yr hwyliodd y *Monk* am Lerpwl yn 1843 gyda'i llwyth o 142 o foch, gwerth £600 o fenyn a 26 o deithwyr. Aeth i drybini ar far Caernarfon a chollwyd y moch a bywydau ugain o'r bobl.

Un o'r golygfeydd mwyaf rhamantus yw'r un o Dŷ Coch yn hwyr min nos yn yr haf a llewyrch y machlud yn ychwanegu at y swyn cyfriniol hwnnw. Sut fyddai hi yma tybed pe bai'r bleidlais wedi mynd o blaid Porth Dinllaen yn y senedd yn 1844 pan fu dadlau pa un ai Caergybi neu Borth Dinllaen a gâi ei ddatblygu fel prif borthladd i gysylltu 'Lloegr' ag Iwerddon.

Mae Bad Achub Porth Dinllaen gyda'r enwocaf yng Nghymru am fod yn gyfrifol am ddiogelwch llongau yn un o'r moroedd gerwinaf. Agorwyd yr orsaf yn 1864. Gellir ymweld â'r orsaf, sydd wedi ei lleoli bron ar Drwyn Porth Dinllaen, a phrofiad anturus yw digwydd bod gerllaw pan gaiff y bad achub ei lansio a'i weld yn llithro mewn cafn o ewyn i'r môr.

Ar y trwyn hwn hefyd mae un o'r cyrsiau golff mwyaf atyniadol a'r olygfa ohono yn un na ellir ei gwella. Gan fod Clwb Golff Nefyn mor boblogaidd rhaid fu ychwanegu naw twll ato yn ddiweddar. O ben eithaf y trwyn gellir yn aml weld morloi yn nofio'n braf neu'n torheulo ar y creigiau.

Mae'r llwybr o Borth Dinllaen yn dringo i fyny gallt y môr drwy safle caer arfordirol o'r mileniwm Cyn Crist.

Mae'r cwrs golff yn ymestyn o Drwyn Porth Dinllaen ar hyd arfordir creigiog y Borthwen ac i Aber Geirch. Gellir dilyn afon Geirch yn ôl i bentref Edern. O Aber Geirch yr arferai cebl

teliffon redeg ar wely'r môr i gysylltu gwledydd Prydain ag Iwerddon. Dyma un o hoff fannau J. Glyn Davies a phan ymwelai â Melin Edern ar ei wyliau o Lerpwl crwydrai'r gelltydd hyn a gwirioni arnynt:

Sŵn moroedd ar y traeth islaw
   fel sŵn taranau,
a gweld y mêr yn llyfn bell draw
   o'r lle daw'r tonnau.

A mynd ymlaen rhwng dwy res hir
   o rug ac eithin,
a gweld y gwrid ar liwiau'r tir
   tan haul gorllewin.

Ar Fferm Porth Dinllaen y cynhaliwyd ail wersyll yr Urdd yn 1934 i gydredeg â gwersyll Llangrannog. Wrth gyhoeddi hyn dywedodd Syr Ifan ab Owen Edwards – 'mae'r ddau wersyll mewn llecynnau parad-wysaidd, ac anodd penderfynu pa un yw'r gorau.'

Cyhoeddwyd tri llyfr sy'n gronicl rhyfeddol o hanes lleol yng nghyfres Iona Roberts *Hen Luniau Edern a Phorth Dinllaen.*

Prif atyniad eglwys Edern yw'r garreg fedd honno i goffáu morwyr a gollwyd pan ddinistriwyd llong y *Cyprian* ar greigiau Rhosgor (rhwng Edern a Thudweiliog) yn 1881. Ar ei thaith o Lerpwl i Genoa cafodd ei chwythu gan y gwyntoedd i gyffiniau arfordir Llŷn, ond er dewrder criw y bad achub penderfynwyd ei bod yn rhy stormus ac mai annoeth iawn fyddai lansio'r bad achub ar y fath dywydd. Fe'u beirniadwyd yn arw am hyn gan yr awdurdodau ac mewn ymholiad i'r achos tystiodd deg o gapteiniaid llong lleol fod y tywydd yn rhy arw a

*Traeth Nefyn a'r Eifl yn y cefndir*

*Porth Dinllaen*

swyddogion y bad achub wedi gwneud y dewis cywir. Fodd bynnag, wrth nesu at greigiau Llŷn galwodd capten y *Cyprian* ar i'r morwyr i gyd wisgo eu siacedi achub a bod yn barod i'w gwneud hi am y lan. Fel yr oedd y capten ar ymadael â'i long ymddangosodd *stow-away* o'r howld. Rhoddodd y capten ei wregys i'r bachgen yn ffyddiog y gallai ef ei hun nofio i'r lan. Daeth y bachgen i'r lan yn ddiogel ond boddodd y capten. Clywodd gwraig o Henley-on-Thames am y digwyddiad a rhoddodd £800 i'r Gymdeithas i brynu bad achub. Lleolwyd hwn yn Nhrefor a'i alw y *Cyprian*. Dim ond unwaith y lansiwyd ef cyn cau'r orsaf yn 1901.

Mae deifwyr wedi tyrru i Lŷn i chwilio am unrhyw drysor sydd ar gael ar wely'r môr. Bu chwilio o gwmpas y fan ble y collwyd y *Cyprian*. Llwyddodd deifiwr lleol i godi'i chreiriau, gan gynnwys ei chloch, a'u cadw'n ddiogel.

Yn Edern y bu'r Parchedig Tom Nefyn Williams yn weinidog am flynyddoedd cyn ei farw. Claddwyd ef yn y fynwent yng nghefn y capel.

Mae'r ffordd o Edern i Dudweiliog yn wastad ac yn hamddenol lydan. I'r chwith mae Garn Fadrun, 'brenhines ardderchog Llŷn', fel ynys yng nghanol y penrhyn a'i ffurf yn newid wrth symud o'i chwmpas. Mae'r arfordir yn greigiog a'r baeau bychain yn dwyn enwau'r ffermydd sydd a'u tiroedd yn rhedeg i lawr at y creigiau.

O Dudweiliog y daw'r ddeuawd boblogaidd John ac Alun a cheir ganddynt nifer o ganeuon sy'n clodfori Llŷn.

Eglwys i Sant Cwyfan o'r seithfed ganrif yw'r un yn Nhudweiliog, er y dywedir mai Tudwal oedd ei sant gwreiddiol. Mae'r ffenestri lliw sydd ynddi yn coffáu teulu'r Wynne-Finch o Gefnamwlch – y plasty lleol. Bu'r teulu yn uchel iawn ei barch gan y tenantiaid ar hyd y blynyddoedd a phlant y genhedlaeth bresennol wedi dysgu Cymraeg. Disgwylid i'r tenantiaid dalu'r rhent ddwywaith y flwyddyn, ond byddai'r sgweiar yn trugarhau ar ddechrau mis Tachwedd ac yn fodlon aros am ei dâl er mwyn i'r trigolion gael cyfle i gasglu arian a dderbynient am y penwaig y byddent yn eu dal.

Noddwyd llenyddiaeth gan deulu Cefnamwlch. Bu Morus Dwyfach yma'n fardd teulu a rhoddwyd nawdd i gerdd pan groesawyd John Parry, y Telynor Dall i'r llys. Yn yr unfed ganrif ar bymtheg carcharwyd Sion Gruffydd o Gefnamwlch gan yr awdurdodau am eu herio yn helynt Fforest yr Wyddfa. Cysylltir enw Madam Griffith o Gefnamwlch â Howell Harris a bu'n ysbrydoliaeth arw iddo. I ffermdy Tywyn ac i Dyddyn Mawr gerllaw y daeth Howell Harris i gynnal seiadau ddwy ganrif a hanner yn ôl.

Mae'r ffordd ar gyrion gogleddol Tudweiliog yn arwain i lawr i Ros-lan lle mae Traeth Tywyn – traeth tywodlyd braf cysgodol. Ar y tywod mae'r Ebol, craig lle gwelir ôl carn ceffyl arni. Defnyddid y garreg i ddarogan prisiau'r farchnad. Pe bai'r môr yn golchi'r tywod oddi arni yna byddai prisiau ŷd yn uchel y flwyddyn honno a phe bai wedi ei gorchuddio â thywod yna byddai'r prisiau'n isel iawn. Clywyd sôn am un tyddynnwr lleol yn crafu'r tywod oddi arni gan gredu y codai hynny brisiau'r farchnad!

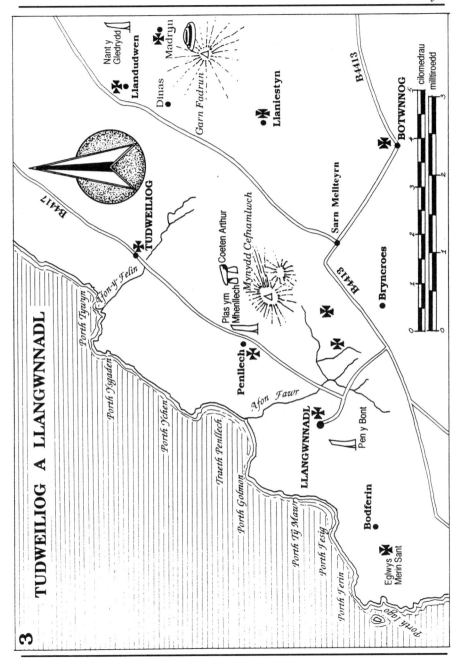

Sonnir hefyd fel y byddai modd mynd drosodd o Lŷn i Iwerddon ar gefn ceffyl ers talwm pan fyddai'r môr ar drai. Âi person y plwyf ar y daith hon i bregethu ar gefn ei geffyl o'r enw Gweiliog, a rhaid fyddai amseru'r dychwelyd yn ofalus. Gadawodd y person hi braidd yn hwyr un tro a chael a chael fu hi i gyrraedd tir sych. Rhuthrai o flaen y llanw gan alw ar ei geffyl 'Tyrd, Weiliog!' A dyna sut y gelwid y pentref Tudweiliog!

Ychydig yn nes ymlaen mae Porth Cychod. Oddi yno ym mis Mawrth 1933 cychwynnodd dau fachgen ifanc i osod rhwydi yn y môr. Mae'r hanes yn gyfarwydd bellach. Collodd y ddau eu rhwyfau a chael eu cario am ddeuddydd tua'r gogledd-orllewin gan y môr a'r gwynt. Buont yn ffodus i lanio yng ngogledd Iwerddon a thrigolion Kilkeel yn hael eu croeso. Taith yn ôl wedyn a thrigolion Tudweiliog ar ben eu digon wrth weld y ddau yn dychwelyd yn ddiogel.

Roedd Porth Ysgaden yn un o'r mân borthladdoedd prysur lle galwai'r llongau bychain yn aml i lwytho a dadlwytho eu cargo. Deuid â chalch i'r lan i'w losgi yn yr odyn oedd yn hwylus gerllaw. I'r odyn hefyd y deuai gwragedd yr ardal i wau ac i gadw'n gynnes. Gwrthsafodd talcen yr hen dŷ a saif ar y trwyn bob storm. Unwaith bu'n gartref i saer cychod a'i deulu mawr. Bu hefyd yn oleudy gwirfoddol pan osodai'r teulu gannwyll neu lamp yn y ffenest ar noson stormus i rybuddio llongau rhag peryglon.

Mae llwybr yr arfordir yn mynd ymlaen i gyfeiriad Traeth Penllech, Porth Colmon a Phorth Fesyg. Mae modd troi oddi arno mewn amryw o fannau a dilyn y ffordd sy'n arwain drwy blwyf Penllech ac i Langwnnadl. Mae Eglwys Penllech ym muarth fferm Plas ym Mhenllech. Mae wedi cau ers blynyddoedd bellach ond ceir dau wasanaeth y flwyddyn yn ystod oriau'r dydd. I drigolion y rhan hwn o Lŷn mae Mynydd Cefnamwlch yn fynydd er nad yw ond 182m. Yn ei gwr gogleddol ac ar fin y ffordd sy'n arwain i Sarn Mellteyrn gwelir Coeten Arthur, un o gromlechi Llŷn.

Un o eglwysi hyfrytaf Llŷn yw'r un a saif ar lan yr afon yn Llangwnnadl. Yr ystlys ganol yw'r rhan hynaf ac oherwydd ei phoblogrwydd fel un o'r prif fannau gorffwys ar Ffordd y Pererinion rhaid fu ychwanegu'r ystlys ddeheuol. Gerllaw mae Cae Eisteddfa lle câi'r pererinion orffwyso.

Tybir mai carreg fedd Gwynhoedl yw'r un a welir ar fur gogleddol yr eglwys. Ar un golofn nodir mai yma y claddwyd y sant a'r llythrennu ar biler arall yn nodi yr ychwanegwyd yr ystlys ganol yn 1520. Un o greiriau difyrraf yr eglwys yw'r allwedd a welir ar y wal orllewinol. Hwn a ddefnyddid yn lle modrwy mewn priodasau ers talwm pan na allai'r priodfab fforddio modrwy i selio ei lw â'r briodferch. Cyfeirir at hyn mewn cân gan Myrddin ap Dafydd, 'Gadael Llŷn', a genir gan John ac Alun.

### Gadael Llŷn

Mae 'na oriad yn yr eglwys,
Modrwy briodas tlodion plwy,
Rho fo'n ôl yng nghist y clochydd:
'Fydd mo'i angen arnom mwy.

Dacw'r hwyliau ar y mastiau,
Dacw'r llong yn codi'i llwyth,

*Porth Colmon*

Troliau'n ddu ar draeth Porth
                     Colmon,
Mae'n benllanw wedi wyth.

Mae 'na hiraeth yn yr heli
Mae o'n un ochenaid hir,
Am fod hiraeth, hiraeth hefyd
Yn fy nghalon gadael tir.

Hanner cant yn gollwng dwylo,
Pen-y-graig yn weddi i gyd,
Wela' i mohonot mwyach
Tra bo 'mywyd yn y byd.

Yn yr Amgueddfa Genedlaethol yng Nghaerdydd mae cloch law o eglwys Llangwnnadl sy'n enghraifft o waith metal cynnar o'r chweched ganrif.

Yn y fynwent mae carreg fedd i Griffith Griffiths o Fethlam a fu farw yn 93 oed yn 1746 ac sy'n tystio iddo fyw am naw oes brenhinoedd Lloegr.

Roedd Frances Lloyd o Nant Gwnnadl yn ŵr hynod o gryf. Defnyddiai echel trol fel ffon a bu llawer ymgais i ddarganfod maint ei nerth. Rhoddwyd cynnig arni un tro drwy roi ceffyl a sach anferth o dywod ar draws ei lwybr a phlentyn yn sefyll gerllaw. Roedd y plentyn i grio am na fedrai godi'r sach ar gefn y ceffyl. Pan ddaeth Frances Lloyd heibio tosturiodd wrth y plentyn a chodi'r sach ond bu'r llwyth yn ormod i'r ceffyl a thorrwyd asgwrn ei gefn.

Gerllaw y ffordd sy'n arwain o Nefyn i Aberdaron (B4417) gwelir maen hir ar dir Pen y Bont Maenhir.

Mae'r afon sy'n llifo heibio i'r eglwys yn llifo i Draeth Penllech a ger Pont yr Afon Fawr mae maes parcio ar gyfer y traeth hwn. Gerllaw yn Bryn Bodfan y bu'r pregethwr a'r geiriadurwr J. Bodvan Annwyl yn byw ac yma ar y traeth y bu iddo foddi yn 1949. Mae'n draeth eang a thywodlyd a'i gilfachau creigiog yn ei wneud yn gysgodol a phreifat. Ar ben yr allt uwchben y traeth mae Berth Aur, fferm sy'n gartref i Margiad Roberts, Prif Lenor Eisteddfod Bro Madog 1987 ac awdures storïau Tecwyn y Tractor.

Cyfeiria 'Gadael Llŷn' at yr hanner cant o drigolion lleol a ymfudodd gyda'i gilydd i America. Cynhaliwyd cyfarfod gweddi wrth iddynt ffarwelio a disgrifir yr achlysur fel un gwirioneddol drist. Gorfodwyd cannoedd i ymfudo o Lŷn ym mlynyddoedd cynnar y bedwaredd ganrif ar bymtheg. Codwyd nifer o gapeli gan y Cymry yn ardal Remsen yn nhalaith Efrog Newydd – dau ohonynt yn dwyn yr enw Penygraig a Phenycaerau.

Ym Mhorth Colmon daliwyd pedwar smyglwr halen ac fe'u lluchiwyd i garchar Caernarfon. Apeliwyd lawer gwaith ar eu rhan hwy a'u teuluoedd tlawd ond gwrthodwyd eu rhyddhau bob tro. Fodd bynnag, gan ei fod wedi teneuo cymaint dihangodd un smyglwr rhwng barrau ffenestri'r carchar. Llwyddodd i gyrraedd adref a chuddiwyd ef yn y fuddai. Pan gryfhaodd ddigon gwisgwyd ef mewn dillad merch ac ymfudodd i ddiogelwch America.

Gallai Porth Colmon fod wedi datblygu yn borthladd allforio glo pe byddai menter ddieithr i'r ardal hon wedi llwyddo. Ffurfiwyd cwmni i gloddio glo yn ardal Hebron tua 1840 ond nid oedd y fenter yn un ffyniannus, ond bu'n borthladd prysur iawn yn ei ddydd lle mewnforid glo a chalch a nwyddau eraill.

Mae gwelyau o gregyn lliwgar a'r gwichyn-pen-bolyn prin yn eu mysg wrth droed yr allt draw o Borth Colmon i gyfeiriad Porth Tŷ Mawr. Yn y creigiau bydd crancod yn 'mochel yn eu tyllau yn nhymor bwrw cistenni. O fin y dŵr ar drai mae modd cyrraedd ceg y twll a chyda gofal ac amynedd gellir cael y cranc allan. Gŵyr y creincwr cyfarwydd yn iawn ble i ddod o hyd i'r tyllau a chyfeirir atynt wrth eu henwau – Tyllau Sbaniards a Rhufeiniaid, Twll Teiliwr, Ffynnon, Twll Garddwrn, Twll Siani Borth a Thwll Rhegwr a dwsinau o rai eraill – pob un â'i stori ac eglurhad o sut y cafodd ei enw. Mae pyllau pysgota gwrachod, efo cranc meddal neu lwgwn yn abwyd ar Drwyn Cam a Stôl William Sion a Phwll Jac Bach.

Bu'r creigiau duon yn angau i aml i long. Golchwyd cyrff morwyr tramor i'r lan, a'r llongwyr garw arfog a oroesodd sawl llongddrylliad yn codi ofn ar drigolion Llangwnnadl.

Yn 1870 daeth y *Sorrento* i'r lan ym Mhorth Tŷ Mawr ar ei thaith o Lerpwl i New Orleans. Cododd y morwyr cwbl ddi-Gymraeg arswyd ar un teulu pan aethant i chwilio am gymorth i gartref di-Saesneg. Roedd y teulu'n amau mai Gwyddelod oeddent a dim ond wrth wneud model o gwch efo bocs matsus a defnyddio matsus fel mastiau y llwyddwyd i egluro'r trafferthion yr oeddent ynddo.

Aeth llong arall, y *Stuart,* ar y creigiau yn union yr un fan yn 1901. Aeth i drafferthion ar fore tawel braf a bu casglu brwd ar y cargo o lestri, wisgi, stowt, canhwyllau, matsus, pianos a gorchuddion lloriau. Y wisgi ddaeth ag enwogrwydd i'r digwyddiad hwn a bu'n destun llawenydd i lawer ond yn achos gofid dwys i selogion y Cyfarfod Ysgol a'r Henaduriaeth. Mae rhan o diwb y *Stuart* i'w weld hyd heddiw yng nghilfachau'r creigiau melyn a photel neu ddwy o'r wisgi yn dal heb eu hagor.

Mae'r ffordd o Langwnnadl i Uwchmynydd yn rhedeg yn gyfochrog â'r arfordir drwy blwyf Bodferin – y plwyf hynod hwnnw lle dywedir nad oedd ynddo na choeden na gefail nac eglwys un tro. Rhed llwybrau o'r ffordd hon i Borth Tŷ Mawr, Porth Fesyg a Phorth Ferin.

Digwyddodd un o drychinebau tristaf Llŷn yn nechrau haf 1933 pan aeth tri brawd o Dir Dyrus i osod cewyll cimychiaid ym Mhorth Fesyg. Roedd yn dywydd stormus ond diystyriwyd hynny ganddynt er eu bod yn gychwyr profiadol. Canlyniad hyn fu i'r tri foddi. Gellir dychmygu'r arswyd aeth drwy ardal glòs ei chymdogaeth a'r effaith a gafodd hyn ar rieni a theulu. Claddwyd y tri ohonynt ym mynwent Capel Hebron ac ar eu carreg fedd naddwyd englyn o waith R. Williams Parry:

Y tri llanc ieuanc eon – sydd isod
    Soddasant i'r eigion:
    Obry ni chynnwys Hebron
    Na physg, na therfysg, na thon.

Yn y cae ar fin y ffordd sy'n arwain i Borth Iago a Phorth Ferin roedd Eglwys Merin Sant. Bellach dim ond gwrym o bridd sy'n nodi'r safle. Dywed traddodiad i ffermwr fynd ati i glirio olion yr eglwys ac i lefelu'r tir ond buan iawn y torrodd ei iechyd a bu farw yn y man. Byth ers hynny does neb wedi cyffwrdd yr olion.

Lleolir penodau o nofel J.G. Williams, *Pigau'r Sêr* yn Llangwnnadl a cheir ei hanesion yn hwylio yn y *Pilgrim* o Borth Bach. Yng ngheg Porth Ferin gerllaw gwelir carreg drai a ddefnyddiwyd gan y morwyr i asesu dyfnder y dŵr ar gyfer glanio gyda'u llwythi o lo a chalch.

Un o draethau mwyaf cysgodol a phoblogaidd Llŷn yw Porth Iago er bod y llwybr sy'n arwain i lawr iddo yn serth iawn. Mae maes parcio hwylus gerllaw. Allan yn y môr mae craig enfawr – Maen Mellt – sydd, oherwydd ei natur fagnetig, wedi achosi trafferthion garw i lu o longau.

Yn Methlam y ganed Henry Maurice – Apostol Brycheiniog yn amser Cromwell. Wrth ddilyn y ffordd i lawr o Fethlam rhaid croesi pont yn Nant yr Eiddon. Unwaith dymchwelodd y bont o dan lwyth maes iasbis anferth a gloddiwyd o'r chwarel ar Fynydd Carreg. Dywedir bod pob carreg y cyfeirir ati yn Llyfr y Datguddiad i'w cael yn Llŷn, a hawdd y gellir credu hynny gan fod arfordir pen eithaf Llŷn wedi ei ddynodi fel Safle o Ddiddordeb Gwyddonol Arbennig ar sail ei ddaeareg, yn ogystal â'i blanhigion a'i adar. Swynwyd beirdd ar hyd y blynyddoedd gan Lŷn, megis J. Glyn Davies ac yn ddiweddar, Meirion MacIntyre Huws:

### Llŷn

Heulwen ar hyd y glennydd –
        a haul hwyr
    a'i liw ar y mynydd;
    Felly Llŷn ar derfyn dydd, –
    Lle i enaid gael llonydd.

              J. Glyn Davies

### Penrhyn Llŷn

Llŷn i mi yw llanw môr,
y perthi uwch traeth Porthor,
cri gwylan ar draeth anial
a gwlân rhwng weiran a wal.
Llŷn yw'r haul uwch llwyni'r haf,
a'r heth hyd at yr eithaf.

Yn y gwynt i'm hannog i
Llŷn yw cudyll yn codi.
Llŷn yw'r ias sy'n llenwi'r wig
Llŷn yw'r ddiadell unig,
hen dractor ar dir pori,
hyn a mwy yw Lŷn i mi.

Llŷn yw'r môr yn dweud stori
ar goedd dros ei chreigiau hi,
hen gwch a'i choed yn gwichian,
a beddau blêr llawer llan.
Nefoedd yw Llŷn ar derfyn dydd:
lle i heniaith gael llonydd.

Meirion MacIntyre Huws

Cofnodwyd rhigwm sy'n cyferio at gilfach ger Porthor:

Mae gen i ebol melyn bach
Ger Porth y Wrach yn pori,
O! gwylied syrthio dros yr allt
I'r eigion hallt a boddi.
Mi fasa'n golled mawr i mi
Pe bai o'n digwydd syrthio
A minnau wedi talu'n ddrud
I Sion y Rhyd amdano.

Mae Porthor gyda'r traeth mwyaf poblogaidd o'r cwbl i gyd ar sail chwibaniad y gronynnau tywod wrth iddynt rwbio yn erbyn ei gilydd, ond er ei holl swyn a'i brydferthwch collodd prifathro a'i ddisgybl eu bywydau yma yn ystod haf 1977. Aeth John Morris, prifathro Ysgol Deunant, Aberdaron i'r môr i geisio achub bywyd un o'i ddisgyblion a chollwyd y ddau.

'Daearwyd Aberdaron' y diwrnod hwnnw ac fe'u coffeir gan Dic Goodman:

Wylo mae'r môr helbulus, yn y
               Swnt
  Clywir si gofidus:
Yn ei fro dawel, ddi-frys
Mae hiraeth am John Morus.

Yn yr haf aeth Dafydd o'r Borth
               Oer
Drwy'r borth aur ddi-henydd
Yn llaw ffein ei hoff arweinydd
Drwy li'r dŵr i Olau'r Dydd.

Mae'r arfordir o Borth y Wrach yng nghwr gogleddol Porthor ac i Borthorion y tu hwnt i Fynydd Carreg yn eiddo i'r Ymddiriedolaeth Genedlaethol. Ceir enwau swynol llawn dirgelwch ar fannau ar yr arfordir ymlaen tuag at Anelog – Pwll Darllo, Ebolion Pwll Wgwr, Ogof Gadi, Trwyn Briwbwll a Phwlpud Pedr.

Rhwng Carreg Plas ac Aberdaron y safai Cae'r Eos lle maged Dic Aberdaron. Nodir y fan gyda phlac. Roedd Dic, sef Richard Robert Jones (1780-1843), yn un o'r cymeriadau hynotaf a welwyd – ei wisg yn aflêr, ei bocedi'n llawn llyfrau a'i gathod yn ei ddilyn i bobman. Mae'n rhaid fod ganddo rhyw allu rhyfedd i ddysgu ieithoedd gan y dywedir ei fod yn gwbl hyddysg mewn Lladin, Groeg a Hebraeg yn ogystal â Sbaeneg ac Eidaleg. Treuliodd ei oes yn crwydro o le i le hyd nes y bu farw a'i gladdu yn Llanelwy.

Wrth nesáu at ardal Anelog teimlir bod naws y gorffennol wedi glynu wrth yr ardal. Yma ar lethrau Mynydd Anelog y sefydlwyd y gymuned Gristnogol gynnar, gynnar yn Llŷn,

*Cae'r Eos, cartref Dic Aberdaron*

gyda thystiolaeth Cerrig Anelog ac afon Saint yn tarddu gerllaw yn cadarnhau hynny. Rhwng Anelog a Mynydd Mawr mae fferm Llanllawen Fawr a Phorth Llanllawen. Un o ddilynwyr Cadfan Sant oedd Llawen, neu Llywen, ac fel yr awgryma'r enw mae'n debygol iawn iddo sefydlu llan yma sydd bellach wedi diflannu.

Draw rhwng Mynydd Gwyddel a Mynydd Mawr gwelir Ynys Enlli:

Yno o dwrw'r moduron – rhennir
A'r enaid gyfrinion:
Ynys hud yw'r ynys hon,
Un felly oedd Afallon.

D.J. Jones, Llanbedrog

Yn y môr, mae angor i mi – drwy
swae
Dŵr y Swnt, caf Enlli;
Gall cwch tua'i heddwch hi
Wneud i ewyn ddistewi.

Myrddin ap Dafydd

# Trwy'r Canol

Mae'r brif ffordd allan o Bwllheli i Lŷn, yr Ala, yn fforchi yn y Tyrpeg – yr A499 yn mynd i gyfeiriad Llanbedrog a'r A497 yn mynd i Nefyn. Bu'r ddwy yn ffyrdd tyrpeg dan Ymddiriedolaeth Tyrpeg Porth Dinllaen ac ar ôl eu hagor ar eu hyd hwy y deuai pobl Llŷn i'r dref ar ddiwrnod ffair a marchnad a sasiwn. Âi coets fawr Tocia o Aberdaron a choets Tir Gwenith o Langwnnadl heibio amryw o weithiau bob wythnos – taith deirawr bob ffordd – a chludai'r cariwrs gynnyrch y ffermydd i'r farchnad ar ddydd Mercher. Yma yn y Tyrpeg y daw afon Penrhos ac afon Rhyd Hir at ei gilydd i ffurfio afon Cymerau sy'n llifo'n hamddenol i harbwr Pwllheli.

Aiff y ffordd i Nefyn heibio i waliau Plas Bodegroes lle cynhaliwyd Eisteddfod Genedlaethol yr Urdd yn 1982 ac ymlaen at Glwb Chwaraeon Pwllheli. Yma ceir cyfle i fwynhau gêmau rygbi, hoci a chriced. Mae poblogrwydd rygbi yn Llŷn ar gynnydd gyda'r ysgolion cynradd ac uwchradd yn meithrin diddordeb eu disgyblion yn y gamp, a bwydo'r clwb lleol â chwaraewyr ifanc brwd. Daw torf barchus i wylio'r gêmau ar brynhawniau Sadwrn ac i groesawu timau profiadol y de. Does neb yn dychwelyd yn fuddugol o Fodegroes ar chwarae bach!

Yn Efailnewydd yr arferai'r porthmyn gael pedoli'r gwartheg. Nid oedd cerdded ffyrdd meddal Llŷn ac Eifionydd yr adeg hynny yn debygol o fod yn anafus i garnau, ond pan eid â hwy dros bont Aberglaslyn, roedd y daith bell i berfeddion Lloegr yn dilyn ffyrdd geirwon.

Mae'r ffordd i'r chwith yn Efailnewydd yn arwain i Rydyclafdy. Wrth adael y pentref eir heibio i Felin Rhydhir a fu'n gartref i'r gantores enwog Leila Megane. Fe'i claddwyd hi ym mynwent Penrhos.

Y tu allan i gapel Rhydyclafdy mae dwy garreg, un ohonynt i goffáu Howell Harris gan y bu'n sefyll arni i bregethu pan oedd ar ymweliad â'r plwyf ym mis Chwefror 1741. Ei destun oedd 'Deled dy deyrnas'. Mae'n debyg mai carreg farch a symudwyd yma o ymyl Eglwys Llanfihangel Bachellaeth ydyw ond bu ymweliad Howell Harris â'r ardal yn symbyliad i godi capel yn y pentref cyn diwedd y ganrif. Ymwelodd Syr O.M. Edwards â'r ardal ganrif yn ôl pan aeth ar daith 'O gylch Garn Fadryn' *(Tro trwy'r Gogledd, Tro i'r De)* a chyfeiria at y garreg arbennig hon.

Daw'r garreg arall o gyfnod diweddarach i goffáu mai yma yn Rhydyclafdy y bu farw'r Parchedig Tom Nefyn Williams ar ôl traddodi ei bregeth olaf un nos Sul yn 1958. Ei destun ef oedd 'Ac wedi cau dy ddrws'.

Wrth ddychwelyd i Efailnewydd rhaid mynd heibio i Tu Hwnt i'r Afon – unig dafarn y rhan hwn o Lŷn.

Rhaid troi i'r dde yn weddol fuan ar ôl mynd heibio i Gapel Berea yn Efailnewydd er mwyn dilyn y ffordd am Lannor. Ymwelodd Howell Harris â'r eglwys ar fore Sul, Chwefror y cyntaf, 1741 i wrando ar John Owen y rheithor yn pregethu. Sylweddolodd yn fuan mai ef oedd testun y bregeth a theimlai'r casineb a anelid tuag ato. Ar ei ffordd drwy'r fynwent lluchiwyd cerrig ato ond yn ffodus iawn llwyddodd i ddianc heb ei anafu. Roedd gelyniaeth John Owen a'r Methodistiaid at ei gilydd yn ffyrnig. Cyfansoddwyd anterliwt – 'Ffrewyll y Methodistiaid' – gan William Roberts, clochydd Llannor lle'r ymroddodd iddi i ddychanu Howell Harris a'i gyfeillion yn grafog. Derbyniodd y clochydd dâl o £50 am gyfansoddi'r anterliwt gan wŷr bonheddig a gyfarfyddai ym mhlasty Bodfel.

Mae eglwys Llannor yn eglwys hardd o'r drydedd ganrif ar ddeg ac fe'i sancteiddiwyd i'r Grog Sanctaidd. Cyn ei hadnewyddu yn 1855 roedd gan deulu Bodfel, teulu dylanwadol yn eu dydd, eu capel preifat eu hunain yn un rhan o'r adeilad.

Rhaid mynd yn ôl i'r ffordd fawr i gyrraedd Bodfel sydd erbyn hyn yn barc antur difyr iawn i blant. Gatws yw'r tŷ mawr hynafol a godwyd ar gyfer plasty gorwych oedd wedi ei gynllunio i fod yn gartref i'r teulu pwerus hwn ond ni wireddwyd y freuddwyd. Rhoddwyd Ynys Enlli yn rhodd i John Wyn ap Huw o Fodfel yn 1576 am gario baner y brenin mewn brwydrau. Honnir y bu ef, er ei fod yn Ustus Heddwch, yn ymhél â môrladrad a chan fod Enlli yn eiddo iddo bu'r ynys honno yn fan glanio hwylus iawn iddynt. Daeth Enlli yn ei thro yn eiddo i deulu Wynniaid Boduan, ac yna drwy briodas Thomas Wynn ag aeres Glynllifon yn eiddo i'r Arglwydd Newborough. Teulu stad Boduan fu'n gyfrifol am godi eglwys bresennol Boduan yn 1894 am gost o £5,500 ac mae ganddi saith cloch.

Cofnodwyd hanes yr ardal yn hynod o ddifyr a chryno mewn cyfrol o luniau *Ardal Boduan* gan Mai Roberts. Dyma batrwm y gallesid ei ddilyn mewn ardaloedd eraill.

Ar gopa Garn Boduan mae olion caer o'r Oes Haearn yn ogystal ag olion tân a ddifrododd dyfiant yn llwyr pan fu'n llosgi am ddyddiau un haf yn y 1970au. Gwelir y creithiau ar lechweddau'r mynydd o hyd.

Mae ffordd gul, uchel ei chloddiau – sy'n nodweddiadol o Lŷn – yn arwain o groesffordd Bryn Cynan drwy blwyf Ceidio a heibio i'r capel a'r eglwys sydd i'w addasu yn dŷ. Os troir i'r dde yn nes ymlaen mae'r ffordd droellog yn disgyn yn serth i Nant y Gledrydd. Er bod yma goed *eucalyptus* estron a blannwyd i ddathlu'r coroni yn 1953 mae'n ddyffryn tawel coediog ar gyrion y Gors Geirch:

Yn Gors Geirch mae brwynen las
A phlas yn Nôl y Penrhyn;
Yn Mryn Cefnmein mae eithin mân
A lodes lân yn Nefyn.

Yn y Gatws, Madryn y ganed John Owen Williams, (Pedrog, 1853-1932) a faged yn dlawd ac a wyddai'n dda am gyfoeth y stad. Cofir amdano yn arbennig am ei englyn:

I'r teg ros rhoir tŷ grisial – i fagu
Pendefigaeth feddal;
I'r grug dewr y graig a dâl –
Noeth weriniaeth yr anial.

Mewn darlith yn dwyn yr enw *Teulu Madryn* disgrifia Trebor Evans, yr awdur, fel yr aeth y stad – o ganlyniad i fywyd afradus y sgweiar – yn ddim. Cwestiwn yr englynwr yw pwy mewn gwirionedd oedd y rhos a phwy oedd y grug.

Thomas Love Duncombe Jones Parry oedd y sgweiar hwnnw a fu'n gymeriad lliwgar gydol ei oes. Aeth efo'i fam a'i gariad ar ymweliad â Sbaen un tro. Tra oedd yno torrodd reolau'r wlad ac fe'i dedfrydwyd i farwolaeth. Dywedir mai trwy ymyrraeth y Frenhines Victoria yn unig y rhyddhawyd ef. Yn 1862 aeth efo Lewis Jones i Batagonia i archwilio tir Ariannin cyn i'r fintai gyntaf o Gymry ymfudo yno. Galwyd y fan y glaniodd y Mimosa gyda'i llwyth o ymfudwyr arni yn Porth Madryn. Puerto Madryn welir ar fapiau heddiw. Siaradai Gymraeg rhugl a'i enw barddol oedd Elphin ap Gwyddno. Roedd yn gymeriad caredig a phoblogaidd iawn, ond ei haelioni oedd ei wendid. Dywedir iddo fetio £6,000 ar geffyl yn y Derby a cholli'r cyfan. Cyn ei farw aeth y stad rhwng y cŵn a'r brain.

Yn ystod hanner cyntaf yr ugeinfed ganrif bu'r plasty yn goleg amaethyddol ond aeth ar dân yn y 1960au a'i ddifrodi'n llwyr. Mae un gatws wedi goroesi ac i'w weld yn agos i safle'r plas.

Dyma blwyf Llandudwen sydd a'i eglwys wedi ymguddio yn swil oddi ar y ffordd fawr. Ger adwy'r fynwent gwelir carreg farch y dywedir iddi unwaith gael ei defnyddio fel Carreg Dystiolaeth. Arni hi y câi unrhyw anghaffael yn y plwyf ei ddatrys ac fe ddienyddid unrhyw un a symudai'r garreg o'i lle! Dywedir y bu unwaith bentref o dai to gwellt yn y cae i'r de o'r eglwys ond iddo gael ei losgi'n llwyr yn 1771.

Aiff y ffordd i Nanhoron ar hyd cyrion Llanfihangel Bachellaeth – 'y lle

tawela 'ngwlad Llŷn'. Mae'r eglwys wrth droed Carneddol ar y ffordd gul sy'n arwain i'r chwith i gyfeiriad Mynytho. O'r eglwys ceir golygfa hyfryd o ogledd Llŷn a draw am Eryri a'r Moelwyn, a'r môr ar y ddwy ochr. Yma y dymunodd Gwilym T. Jones gael ei gladdu a hynny a ysgogodd Cynan i ysgrifennu ei gerdd i'r lle arbennig hwn.

Aiff y ffordd gul i bentref Mynytho – pentref y tir uchel rhwng y Foel Gron a Foel Twr (Moel Wrgi oedd yr hen enw). Er nad yw copaon Llŷn yn uchel o gwbl mae'r golygfeydd ohonynt mor rhagorol. Nid yw'r panorama o ben Foel Twr, lle mae olion melin wynt, yn ail i'r un, yn arbennig felly i gyfeiriad Eifionydd ac Eryri a Phwllheli lle mae'r

tywod glân am filltiroedd, fel tae
Rhyw gryman o aur ar dorri drwy'r
bae.

Canolfan Mynytho yw ei Neuadd Goffa enwog gydag englyn o waith R. Williams Parry ar ei thalcen. Adroddodd ei englyn pan agorwyd y neuadd yn 1935:

Adeiladwyd gan Dlodi, – nid cerrig
Ond cariad yw'r meini;
Cydernes yw'r coed arni,
Cyd-ddyheu a'i cododd hi.

Un o brif symbylwyr adeiladu'r neuadd oedd Caradog Jones, dyn ei filltir sgwâr, ac un a weithiodd yn ddiarbed dros Fudiad Addysg y Gweithwyr. Pery dosbarth WAE Mynytho gyda'r mwyaf brwd o hyd gan gyfarfod wrth gwrs yn un o stafelloedd y neuadd. Dyma'r fan lle rhoddir *Llanw Llŷn* yn ei wely a hynny wedi ei wneud bob mis yn ddidor o Fawrth 1977 gan

*Plas Madryn*

*Mynytho*

griw ymroddgar.

Mae Eisteddfod Mynytho bob canol mis Ebrill yn parhau i dynnu cystadleuwyr a chynulleidfa a bu hi a'r ardal ddiwylliedig yn feithrinfa i feirdd fel y Prifardd Moses Glyn Jones a'i frawd Charles, Dic Goodman ac eraill.

Enwyd Ysgol Foel Gron ar ôl y bryn y mae'n swatio wrth ei sawdl. Dyma'r fan i aros os ydych am weld golygfa ryfeddol o Fae Ceredigion gyda'r Rhiniogau a Chadair Idris ym Meirion yn gefndir iddi. Codwyd tŷ bach yn y maes parcio a'i gynllun yn ymdoddi i'w gefndir.

Y B4413 yw'r ffordd fawr aiff drwy ganol Llŷn i Aberdaron ac ar waelod y pwt hir llydan o ffordd sy'n rhedeg i lawr o gyfeiriad Nanhoron mae'r lôn gul yn arwain at y Capel Newydd. Bu Catherine – gweddw Capten Timothy Edwards o blas Nanhoron – yn addoli yma, hi yn Saesnes o swydd Bedford ac yn anhygoel braidd yn aelod yn yr Hen Dŷ Cwrdd Anghydffurfiol hwn. Mae'r stori yn cychwyn ymhell o Lŷn.

Roedd Timothy Edwards yn haf 1780 yn dychwelyd ar ei long o India'r Gorllewin i Portsmouth ac aeth ei wraig i lawr yno i'w groesawu. Yno cafodd y newydd trist fod ei gŵr wedi marw ar y môr. Derbyniodd garedigrwydd hael iawn gan weinidog Annibynwyr y dref ddieithr ac ymlynodd wrth yr enwad hwn ar ôl dychwelyd i Lŷn.

Bellach mae'r Capel Newydd yn eiddo i'r Ymddiriedolaeth Genedlaethol ond trwy ddycnwch Gwilym T. Jones y llwyddwyd i'w adfer i'w gyflwr gwreiddiol. Yr un cyfeillgarwch ag a roddodd fod i'r gerdd i Lanfihangel Bachellaeth fu'n gyfrifol am y gerdd i Gapel Nanhoron. Fel hyn y canodd Charles Jones Mynytho iddo:

Nid ei werth yw prydferthwch; – nid
meini,
Nid mynor mo'i degwch;
Ei olud sy'n nhawelwch
Ei wedd lom a'i sanctaidd lwch.

Gelwir y ffordd o Groeslon Nanhoron ger Rhydgaled i gyfeiriad Rhydyclafdy yn Lôn Newydd Nanhoron. Fe'i hadeiladwyd gan Richard Lloyd Edwards, Nanhoron i goffáu ei fab a laddwyd yn Rhyfel y Crimea yn 1855. Codwyd Pont Inkerman sy'n cario'r ffordd i'r chwarel i'w goffáu hefyd. Ar blac llechen ar Groeslon Nanhoron naddwyd '*Balaklava 25 October 1854*', eto i goffáu yr un achlysur.

Diddorol yw sylwi ar dalcen y Felin Newydd yn agos i Rydgaled lle mae '1823 Na Ladratta' wedi ei naddu. Pam tybed? Rhwng y fan hyn a Phont Inkerman mae ffatri, pandy ac olion llidiart dŵr, y cyfan yn ymwneud â'r diwydiant trin gwlân a hwythau, ynghyd â'r felin, wedi dibynnu ar afon Horon i droi'r peiriannau.

Yn ddiweddar chwaraeodd Anthony Hopkins brif ran yn y ffilm *August* ac yma ym Mhlas Nanhoron y ffilmiwyd y rhan fwyaf ohoni.

Treuliodd Charles Jones, Mynytho ran helaeth o'i oes yn dysgu yn Ysgol Uwchradd Botwnnog a'r daith hon rhwng ei gartref a'r ysgol a ysbrydolodd un o'i englynion gorau:

Yn hir yng Nghoed Nanhoron –
                    oeda'r haf
Gyda'r hen gyfoedion;
Hwythau blethasant weithion
Rwyd o liw ar hyd y lôn.

Go brin fod unrhyw ysgol sy'n ennyn mwy o anwyldeb gan ei chynddisgyblion nag Ysgol Botwnnog – 'Hen Ysgol Hogia Llŷn' a hynny yn bennaf oherwydd yr awyrgylch gyfeillgar hamddenol cefn gwlad a feithrinwyd gan ei phrifathro Griffith Hughes Thomas a'i athrawon. Bu'n ysgol uwchradd naturiol Gymraeg ar hyd y blynyddoedd, er yn Saesneg ei chyfrwng. Daeth tro ar fyd yn sgîl polisïau iaith sir Gaernarfon a Gwynedd a dylanwad twf ysgolion Cymraeg ardaloedd Seisnig Cymru.

Sefydlwyd yr ysgol yn dilyn marwolaeth yr Esgob Henry Rowlands, Mellteyrn yn 1616. Yn Nhŷ Gwyn ger yr eglwys yr agorwyd yr ysgol gyntaf a gosodwyd plac arno yn ddiweddar i gofio hynny. Bu amryw o fygythiadau i'w chau ond gwrthsafodd yn llwyddiannus bob tro. Yn 1848 y codwyd y rhan hynaf o'r adeilad presennol.

Mae cofeb i'r Esgob Rowlands ym mynwent Eglwys Sant Beuno, Botwnnog. Dywedir mai Gwynnog a sefydlodd yr eglwys gyntaf yn yr ardal hon ac i'r enw ddatblygu'n raddol wedyn yn Bod-ty-wnnog ac yna'n Botwnnog.

Un o gymdogion plwyf Botwnnog i gyfeiriad gwastadedd Neigwl yw plwyf Llandygwnning. Dau o nodweddion mwyaf diddorol yr eglwys yw'r tŵr anghyfarwydd ei ffurf a'r pulpud dwbl.

Aiff y ffordd drwy Fotwnnog i gyfeiriad Aberdaron heibio i Ysgol Pont y Gof a dringo nes dod i olwg ffermdy Bodnithoedd ar y chwith. Dyma gartref Owain Llŷn (1786-1867), bardd o waed yr uchelwyr. Yn nes ymlaen ar y chwith gwelir Trygarn lle ganed Moses Griffith (1747-1819), yr arlunydd a deithiodd y wlad gyda Thomas Pennant i baratoi darluniau ar gyfer ei lyfrau. Yn y gwastatir rhwng y ffordd fawr â Thrygarn llifa afon Soch ar ei thaith o lethrau Mynydd Cefnamwlch i'r môr yn Aber-soch.

Bu Sarn Mellteyrn yn ganolfan prynu a gwerthu ar hyd y blynyddoedd. Byddai bri ar Ffair Sarn flynyddoedd yn ôl a'r ddwy Ffair Bentymor – G'lanmai a G'langaea'. Y bri masnachol hwn yn y pentref bychan yng nghanol Llŷn fu'n gyfrifol fod tri thŷ tafarn wedi goroesi. Mae'r Mart wedi cael ail-wynt unwaith eto ac yn fan cyfarfod i amaethwyr Llŷn. Yng nghanol y pentref saif y Neuadd Goffa a agorwyd yn 1924.

Cawn ein hatgoffa mai oddi yma y deuai cariad 'Y Llanc Ifanc o Lŷn':

Merch ifanc yw 'nghariad o ardal y
                                Sarn
A chlyd yw ei bwthyn yng
                    nghysgod y Garn.

Ac er bod Garn Fadrun rai milltiroedd i ffwrdd cawn y teimlad ei fod yn gwarchod y cyfan o ganolbarth Llŷn. Ni fyddai unrhyw ymweliad â Llŷn yn gyflawn heb ddringo i'w gopa. Gellir teithio tuag ato o sawl cyfeiriad.

Rhwng Sarn a Garn Fadrun mae un arall o lannau Llŷn: pentref bach tawel Llaniestyn. Codwyd eglwys fechan yma yn y ddeuddegfed ganrif. Y rhan hynaf yw corff yr eglwys bresennol. Yn ddiweddarach ychwanegwyd y gangell a thua diwedd y bymthegfed ganrif ychwanegwyd yr ystlys ddeheuol. Mae'n eglwys hardd iawn gyda choed yw o bobtu llwybr y fynwent. Ynddi gwelir oriel i gerddorion a gefel gŵn ar gyfer llusgo cŵn afreolus allan yn ystod y gwasanaethau. Bu unwaith yn eglwys o bwysigrwydd yn Llŷn ac yn rheithoriaeth gyfoethog. Yr un dynged a ddaeth i ran yr ysgol ag â ddaeth i nifer o ysgolion eraill Llŷn pan gaewyd ei drysau am y tro olaf, ond fe'i trowyd yn Ganolfan Gymdeithasol ddefnyddiol.

Yn Nhy'n Pwll, Llaniestyn y ganed Ieuan o Lŷn (1814-93). Ef yw awdur yr emyn – 'Wele wrth y drws yn curo'.

Llwyddodd Griffith Hughes o Garn Fadrun i gael ei enw yn y *Guinness Book of Records 1998* am fod ganddo hwyaden a fu fyw am 25 mlynedd – yr hwyaden hynaf erioed!

O Laniestyn mae'r rhiw yn dringo i ardal Garn Fadrun a'r ffordd arall yn mynd i Ddinas. Yma y cychwynnodd cwmni bysus Caelloi sydd bellach yn cario teithwyr ledled Ewrop. Pan ddirywiodd cyflwr iechyd Tomos Huws, Caelloi yn 1851 a'i wneud yn anabl i barhau fel gwas yn Nyffryn rhoddodd ei feistr ful iddo'n anrheg. Dechreuodd fusnes cariwr rhwng Dinas a Phwllheli gan ddatblygu i ddechrau cario glo o Borth Dinllaen. Prynodd lorri a'i throi'n fws a dyna gychwyn y stori!

Yn Nhŷ Bwlcyn, Dinas y cartrefodd Robert Jones Rhoslan (1745-1829) a'i deulu. Ef gyhoeddodd *Grawnsypiau Canaan* – llyfr emynau cyntaf y Methodistiaid Calfinaidd yng ngogledd Cymru a'i brif waith sef *Drych yr Amseroedd* sy'n olrhain hanes y Diwygiad Methodistaidd a'i ddylanwad

ar y genedl. Fe'i claddwyd ym mynwent Llaniestyn. Yn y Lôn Fudur y cynhaliwyd un o'r seiadau Methodistaidd cynharaf. Pan gymodwyd Howell Harris a Daniel Rowland ar ôl yr ymrannu blin bu seiat Lôn Fudur yn dathlu am dri diwrnod a thair noson yn ôl pob sôn!

Yn Nyffryn, Dinas y ganed yr Esgob Richard Vaughan (1550?-1607) a fu'n Esgob Bangor ac yn cynorthwyo William Morgan i gyfieithu'r Beibl.

Mae'r llwybr i ben y Garn yn cychwyn wrth gapel Garn Fadrun. Gellir parcio rhwng y capel a Siop Tanygrisiau – un o'r siopau mwyaf rhyfeddol sy'n bod. Llwybr cymharol fyr a diogel ydyw yn codi'n raddol rhwng wal y mynydd a'r rhedyn ac yna'n serth a chul i fyny'r llethr creigiog. Wedi cyrraedd y gwastad islaw'r copa mae olion caer gyntefig ac i'r gogledd mae Bwrdd Arthur, carreg wastad anferth. Ni all copa unrhyw fynydd gynnig golygfa harddach, yn arbennig ar ddiwrnod o haf a'r awyr yn denau. Mae golygfeydd gwych i'w cael yn Llŷn ond yma mae'r cyfan wedi'u parselu'n un. Hawdd yw dychmygu hogan ifanc o ardal Nefyn yn cyflogi yn Ffair Sarn i weithio tymor mewn fferm yn ardal Botwnnog neu Fryncroes ac yn ei hiraeth yn llunio pennill swynol.

Mi af oddi yma i ben Garn Fadrun
I gael gweled eglwys Nefyn.
O amgylch hon mae plant yn chwara'
Lle dymunwn fy mod inna'.

Ychydig o'r ffordd fawr o Sarn i Aberdaron mae Bryncroes – y pentref a frwydrodd mor ddewr ddeng mlynedd ar hugain yn ôl i warchod ei hysgol ac a ddenodd gefnogaeth

Gymru gyfan. Dyma'r olaf yn y rhestr faith o ysgolion Llŷn a gaewyd ym mlynyddoedd canol y ganrif. Yn y fynwent claddwyd Ieuan Llŷn (1769-1832). Bu'n athro ysgol ym Mryncroes ac ef a gyfansoddodd yr emyn 'Tosturi dwyfol fawr'. Cyn dyddiau Ieuan Llŷn bu ysgol gylchynol ym Mryncroes am ugain mlynedd a mwy yn ddi-dor. Fe'i cynhaliwyd yn eglwys y plwyf yn union fel y gwneid ledled Llŷn.

Taid Ieuan Llŷn oedd Siarl Marc (1720-95), prif arweinydd y Methodistiaid yn Llŷn. Ymgartrefodd yn Nhŷ Mawr, fferm gwta filltir o bentref Bryncroes i gyfeiriad Mynydd Cefnamwlch. Yn 1752 ar dir y fferm hon y codwyd y capel Methodistaidd cyntaf yn sir Gaernarfon a'i ehangu yn 1801.

Led cae o Gapel Tŷ Mawr mae Pencraig Fawr, cartref Gruffudd Parry, awdur toreithiog sy'n cynnwys y clasur *Crwydro Llŷn ac Eifionydd* ac *Adroddiadau'r Co Bach*. Rhwng y fan yma a'r lôn fawr mae cartref Alun Jones y nofelydd a pherchennog siop lyfrau Llên Llŷn ym Mhwllheli.

Bellach mae'r penrhyn yn culhau a hawdd yw ymuno â dwy daith arall y llyfryn hwn trwy ddilyn y ffyrdd croesion o Fryncroes i gyfeiriad Mynydd y Rhiw neu i'r dde ym Mhenygroeslon i lawr trwy Hebron ac i Langwnnadl. Ym Mhenygroeslon y bu John Griffith, Bodantur yn gwerthu petrol am flynyddoedd. Roedd yn gymeriad hynod ac roedd yn gwbl grediniol iddo weld Hitler a Mussolini yn mynd heibio yn ystod y rhyfel. Bu hefyd yn trafod dulliau o sythu Tŵr Pisa gyda maer y ddinas honno.

Yn y Fantol mae'r ffordd ar y dde yn mynd i Rydlios ac i gyfeiriad Porthor. Mae'r ffordd i'r chwith, y B4413, yn rhedeg yn unionsyth i Roshirwaun. Yn ardal y Rhos y trigai nythaid o feirdd ac ar ddiwrnod Eisteddfod Ysgol Sul, Cymanfa Bregethu ac wrth goroni Brenhines y Grug gwelid eu henwau yn gefndir i lwyfan Neuadd Rhoshirwaun – beirdd gwlad fel Gwilym y Rhos, Bugeilfardd a Robert Davies Top y Rhos.

Bu Neuadd Rhoshirwaun yn ganolfan i ardal eang yn Llŷn ers ei hagor yn 1922. Bu'n ddymuniad ar y cychwyn i'w galw yn *The Princess Mary Hall!* Tyrrai cynulleidfaoedd yno o bob cyfeiriad i ddrama cwmni John Huws Llannerch-y-medd, cyngerdd Jac a Wil a sioe Al Roberts a Dorothy. Ond pinacl pob blwyddyn yw 'Hôl Rhos' yw'r Gymanfa Bregethu Gydenwadol unigryw sydd wedi ei chynnal yn ddi-dor ers ei chychwyn yn 1923. Cynhelir hi ar ddyddiau Mercher a Iau yng nghanol Awst lle ceir dwy bregeth yr un gan bregethwr o'r pum enwad. Deil cnewyllyn bychan o selogion i gadw'r neuadd yn raenus ac yn barod bob amser i agor ei drysau i weithgareddau sy'n gwarchod ardal a'i diwylliant.

Bu bri garw ar Eisteddfod y Rhos a gychwynnodd ei thaith mewn ysgubor wrth olau cannwyll. Pan ddiffoddai'r gannwyll rhaid fyddai terfynu'r gweithgareddau a daeth i gael ei galw yn Eisteddfod Hyd y Gannwyll. Tyfodd yr eisteddfod ac fe'i symudwyd i Ysgol Llidiardau ac yna i'r neuadd.

Un arall o fân fryniau Llŷn sy'n ymffrostio wrth gael ei alw'n fynydd yw Mynydd yr Ystum gyda'i Gastell Odo a Charreg Samson ar ei gopa. Dywedir bod cawg o aur wedi ei guddio wrth ei droed, ond os bydd rhywun yn ymyrryd ag ef cyfyd y storm o fellt a tharanau fwyaf a welodd y byd erioed.

Roedd trysorau amgenach yn mynd â bryd E.G. Hughes (bardd buddugol cystadleuaeth y cywydd yn Eisteddfod Genedlaethol Bro Dwyfor, 1975) a drigai yn y Fachwen gerllaw:

Mae bryn gerllaw fy nghartref
A ddringais lawer tro
I edrych draw ar lesni'r môr
Ac ar brydferthwch bro.

Mi glywais fod trysorau
Yng nghudd ar gopa hwn,
A gwelais wŷr yn cloddio'n hir
O fewn i'r caerau crwn.

Nid wyf yn chwennych cloddio
Ar ei lechweddau glân;
Rwy'n fodlon iawn wrth weld yr aur
Ar frig yr eithin mân.

Mae Bodwrdda i'w weld yn gorffwyso'n hardd yn nyffryn afon Daron. Plasty ydyw sy'n dyddio'n ôl i ddechrau'r unfed ganrif ar bymtheg ond bod yr enw – sef Bod Dwrda yn ôl Bob Owen Croesor – yn tarddu eto fyth o Oes y Saint, sef Dwrdan, un o'r saint cynnar. Mewn tomen beryglus yn un o'r caeau mae Ffynnon Dwrdan.

Ganrif yn ôl Bodwrdda oedd fferm fwyaf cynhyrchiol sir Gaernarfon a'i rhent, fel rhent Fferm Porth Dinllaen, yn bunt y dydd.

Adroddai Obadiah Pwll Budur iaith brain Bodwrdda:

Rhyw fywiocáu aflêr iawnol ganol meicol yw ein bywiocáu ninna dydi werglodd canys groffwysasedd nid yr aniwedd y dydd majestun arun . . . !

Ac yn sŵn brain Bodwrdda dyma gyrraedd Aberdaron.

# Arfordir y De

Mae'r ffordd A499 ar hyd arfordir deheuol Llŷn yn gwahanu oddi wrth yr A497 yn y Tyrpeg i'r gorllewin o Bwllheli. Buan iawn y gwelir arwyddbost i'r dde yn ein cyfeirio oddi arni i bentref bychan Penrhos. Roedd gan Capten Hugh Hughes Gellidara, Penrhos long o'r enw *Eagle* a phan dreuliai'r Sul mewn porthladd tramor arferai chwifio baner y *Bethel Flag* i nodi y cynhelid gwasanaeth ar ei bwrdd. Dywedir iddo bregethu yn Falmouth yn 1843 i dri chant o forwyr o Gymru. Pan godwyd capel ym Mhenrhos fe'i galwyd yn Bethel er cof am y capten a'i faner.

Coffeir Sant Cynfil yn eglwys y plwyf ac fe welir yr eglwys uwchlaw'r ffordd fawr ger y fynedfa i Benyberth. Caewyd yr eglwys a'r fynwent ers blynyddoedd ond mae'n werth gweld 'carreg fedd y cawr' sy'n pwyso ar fur gogleddol yr eglwys. Mae'n debyg fod Sion Wyn o Benyberth a goffeir yma ac a fu farw yn 1613 yn ŵr tal iawn a barnu oddi wrth ei garreg fedd.

Dyma leoliad maes Eisteddfod Genedlaethol yr Urdd 1998. Wrth fynedfa'r gwersyll carafanau mae llechen i goffáu y tri dewr a fu yma ar Fedi'r 8fed, 1936 – Saunders Lewis, D.J. Williams a Lewis Valentine – yn llosgi'r Ysgol Fomio. Ar y plac hefyd gwelir plasty hynafol Penyberth a ddifethwyd pan aed ati i sefydlu'r maes awyr. Mae gwersyll i Bwyliaid gerllaw a agorwyd yn fuan ar ôl y rhyfel yn lloches i'r Pwyliaid hynny na feiddient ddychwelyd i'w gwlad. Gwelir maes ymarfer golff gerllaw. Mae

meibion y perchennog, John Pilkington, yn datblygu i fod yn olffwyr o fri a rhagwelir dyfodol disglair iawn iddynt yn y gamp honno.

Os dilynir y ffordd fawr dros Bont Rhyd John i gyfeiriad Llanbedrog, mae ffordd yn troi i'r chwith tua'r môr i Garreg y Defaid. Dywedwyd i'r graig gael ei ffurfio pan oerodd tra oedd yn parhau i fod yn ei ffurf dawdd ac i swigod o aer gael eu dal ynddi a'r rheiny'n ffurfio'r 'defaid'. Oddi yma i'r dwyrain ceir golygfa braf o fae Pwllheli a'i dwyni tywod. Allan yn y môr ar drai daw banciau o gregyn a graean i'r golwg gydag afonydd a elwir yn gamlesi yn llifo rhyngddynt. Wrth grwydro i'r dde a dringo dros y creigiau daw Bae a Thraeth Llanbedrog a Mynydd Tir y Cwmwd i'r golwg.

Ar Forfa Crugan yn 1630 y crogwyd dau ŵr lleol am eu rhan yn ysbeilio llong Ffrengig a ddaeth i angori i Borth Neigwl. Fe'u cafwyd yn euog o lofruddio morwyr a theithwyr y llong honno:

Dau yn unig gaed yn euog
O'r camwri anhrugarog,
Sion y Sarn a Huw Treheili
Dyna'r ddau a gadd eu crogi.

Aed â hwy i Forfa Crugan
Ar ddau bolyn mawr i hongian,
Yno buont hyd nes braenu
Fel yn rhybudd i'r holl Gymry.

Dioddefodd yr ardal gyfan o ganlyniad i hyn:

Fe ddisgynnodd barn amserol
Am yr helynt tost canlynol,
Dros wlad Llŷn a flwyddyn wedyn
Fel na thyfodd yr un gwelltyn.

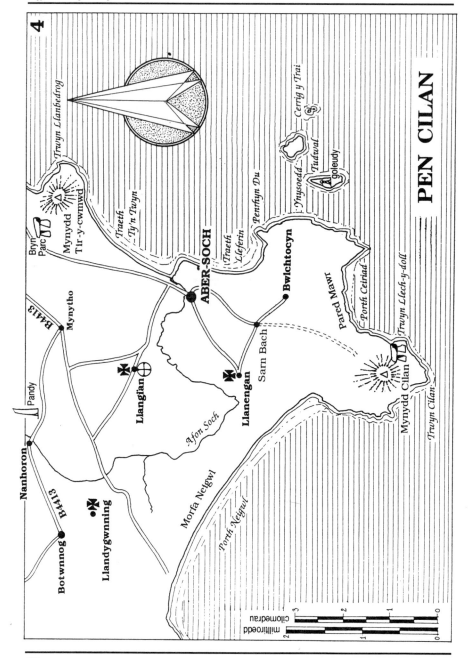

PEN CILAN

Rhwng y ffordd a'r môr arferai tram redeg rhwng Pwllheli a Llanbedrog. Prynodd Solomon Andrews, y datblygydd cyfoethog o Gaerdydd, blasty Glyn y Weddw yn 1896 a sefydlodd yno oriel ddarluniau o safon uchel iawn lle'r arddangoswyd gweithiau Gainsborough a Turner ymhlith arlunwyr enwog eraill. Yn nes i'n dyddiau ni sefydlwyd oriel yma gan Gwyneth Tomos, yr arlunydd, a'i gŵr. Gwnaed ymdrech lew i adfer y plasty i'w gyflwr gwreiddiol ond rhaid fu dod â'r fenter i ben a bellach mae'r plasty ym mherchenogaeth ymddiriedolaeth ac yn wynebu dyfodol llewyrchus fel oriel unwaith eto.

Ar dir Coron, Llanbedrog y claddwyd John Gwenogfryn Evans yn 1930 mewn bedd mewn craig. Ymddeolodd yn ifanc o fod yn weinidog ac ymrodd i astudio testunau Cymraeg Cynnar gan ddod yn un o brif ysgolheigion Cymru. Daeth i fyw i Lanbedrog a sefydlu gwasg law fechan i argraffu'r testunau cynnar y neilltuodd ei fywyd i'w hastudio. Ef a ddarparodd y bedd iddo'i hun a'i wraig. Cludwyd y garreg fedd, sy'n pwyso dwy dunnell, o'r traeth a thalwyd swllt i Solomon Andrews amdani.

Saif Eglwys Sant Pedrog mewn man tawel cysgodol ar fin y ffordd sy'n arwain i lawr i'r traeth gyda Nant Iago yn llifo'n gyfochrog iddi. Dioddefodd yr eglwys hon fwy na'r un arall yn Llŷn o ganlyniad i ymosodiadau gan fyddin Cromwell yn y Rhyfel Cartref. Er i'r plwyfolion lwyddo i gludo sgrîn hynafol i ddiogelwch ger y traeth fe ddifethwyd muriau'r eglwys, y ffenestr ddwyreiniol hynafol a nifer o gerrig beddau.

Defnyddiodd Sieffre Parry, arweinydd y fyddin, yr eglwys fel stabl i'w geffylau. Roedd yn biwritan selog a chludai ei bulpud gydag ef pan âi o gwmpas y wlad i bregethu. Syndod yw i Sieffre Parry yn 1642 briodi ag etifeddes y Wern Fawr, teulu o frenhinwyr. Ganed mab iddynt a'i alw yn Love God Parry. Yn 1693 aeth Love Parry (ni arddelai'r enw God) ati i atgyweirio'r eglwys a gwneud iawn am ddifrod ei dad. Rhoddodd i'r eglwys lestri cymun a Beibl a gwelir carreg goffa iddo ar fur yr eglwys. Dywed Myrddin Fardd yn *Llên Gwerin Sir Gaernarfon* fod y plwyfolion wedi taenu gwlanen wen ar hyd y cloddiau rhwng y Wern Fawr a'r eglwys ar ddydd priodas Love Parry a gwlanen ddu ar ddydd ei angladd. Teulu'r Wern Fawr a ymsefydlodd ym mhlasty Madryn yn ddiweddarach. Yma, ym mynwent eglwys Llanbedrog y mae eu claddfa deuluol.

Saif Glyn y Weddw yn ôl yn y coed y tu cefn i'r eglwys. Codwyd y plasty tua 1857 gan weddw yr hen Syr Love, sef Syr Love Jones Parry o Fadryn. Yno y bwriadai fyw weddill ei hoes ond credir na threuliodd yr hen Lady yr un noson yno erioed er iddo gostio ugain mil o bunnoedd i'w adeiladu a'i ddodrefnu. Byddai fodd bynnag yn ymweld ag ef yn rheolaidd.

Yn gefndir i'r eglwys a'r plasty gwelir Mynydd Tir y Cwmwd, mynydd hawdd a difyr i'w ddringo. O'i gopa ceir golyfa braf o Fae Ceredigion, o Foel y Gest a mynyddoedd Eryri i lawr i ben eithaf Llŷn ac Ynys Enlli. Daeth Solomon Andrews â delw o ddyn yma a'i osod ar ben y mynydd. Bu yno yn destun edmygedd hyd y saithdegau pan fandaleiddiwyd ef. Llwyddwyd i gael delw newydd, un haearn y tro hwn, o waith Simon Van de Putt, arlunydd a cherflunydd lleol. Ef a luniodd y cerflun o Owain Glyndŵr yng Nghorwen ac mae ei baentiadau unigryw o adeiladau Llŷn yn hynod o boblogaidd. Cerddai'r chwarelwyr Lwybr Llymriaid dros y mynydd fore a nos i un o'r dair chwarel ar Drwyn Llanbedrog. Cloddid metlin a cherrig adeiladu melyn o'r chwarel agosaf at Aber-soch a sets o'r ddwy arall. Yng nghyffiniau'r copa mae Llynnau Cywarch ac olion cytiau powdwr y chwareli. Yno hefyd mae Ogof Wil Puw lle, mae'n debyg, y cuddiai'r cymeriad lliwgar hwnnw ei ysbail.

Mae pentref Llanbedrog yn un strimyn hir yn rhedeg o bobtu'r B4413 sy'n arwain ymlaen i Aberdaron. Ceir yno ysgol, neuadd, tri chapel a dwy dafarn, un bob pen i'r pentref – Glyn y Weddw a'r *Ship.*

Draw o Drwyn Llanbedrog i gyfeiriad Aber-soch mae traeth tywodiyd braf – Traeth Ty'n Twyn a'i bentref gwyliau anferth – y Warren. Gyferbyn â'r fynedfa iddo ar y ffordd fawr gwelir plasty Castellmarch. Gosodwyd carreg sylfaen y plasty yn 1625 gan Syr William Jones, y perchennog. Bu'n Aelod Seneddol dros Fiwmares a sir Gaernarfon ac yn farnwr. Glaniodd llong ar y traeth yn ystod y Rhyfel Cartref a chipiwyd ei fab Griffith o'i gartref gan lu'r Brenin. Mae'n debyg i'r plasty newydd gael ei godi ar safle gynharach gan y cysylltir Castellmarch â chwedl March ap Meirchion a'i glustiau ceffyl. O gyfnod cynharach hefyd y daw stori arall pan welwyd fod llong ddieithr o Ffrainc

wedi angori yn y bae a'r morwyr yn rhwyfo i'r lan. Wedi glanio aethant i chwilio am rywbeth yn y caeau. Aeth mab ffermwr Castellmarch i fusnesu a'u gweld yn casglu malwod! Cipiwyd y bachgen ganddynt ac ni welwyd ef wedyn – hyd nes y daeth adref un diwrnod a chyflwyno ei hun i'w dad fel capten ar long yn llynges Ffrainc!

Yn Aber-soch y pegynir y ddau ddiwylliant sydd bellach yn rhan o bob ardal yn Llŷn – y miloedd yn tyrru yno yn yr haf a'i droi yn bentref cwbl estron. Ond mae'r torfeydd yn diflannu yn yr hydref a thry Aber-soch yn bentref tawel hamddenol lle caiff y trigolion gyfle i gael eu cefn atynt. Ond mynd adref am gyfnod byr wna llawer o'r bobol ddieithr gan ddychwelyd i fyw yn barhaol yn y stadau tai di-alw-amdanynt gan newid cymeriad ardal yn llwyr. Ceir dau westy, Sant Tudwal a Vaynol, a nifer o dai bwyta safonol. Gan fod Aber-soch yn ganolfan hwylio a hwylfyrddio o gryn bwysigrwydd ceir yma orsaf bad achub, clwb hwylio a siopau dillad ac offer morwrol.

Ar dalcen Ysgubor Wen, sydd ar y ffordd rhwng Aber-soch a Sarn Bach, gwelir plac i nodi mai yno y ganed John Owen a sefydlwyd yn Esgob Tŷ Ddewi, 1897. Ef fu'n cadeirio y pwyllgor dylanwadol a luniodd yr adroddiad ar addysg a gyhoeddwyd yn 1927 – *Y Gymraeg mewn Addysg a Bywyd.*

O Aber-soch draw am Fwlchtocyn ymestyn Traeth Lleferin gyda'i dwyni tywod, ei gwrs golff dymunol a Chors Lleferin gyda'i chyfoeth o lystyfiant. Ar Drwyn Penrhyn Du gwelir y cwt bad achub gwreiddiol. Mae'r arfordir yn newid. Trown ein cefn ar y twyni tywod a'r baeau mawr a chymerir eu lle gan elltydd a phenrhynau creigiog a serth. Dyma ffin 'Arfordir Treftadaeth Glennydd Llŷn' gyda'r frân goesgoch ar y bathodyn. Llwyddodd Cyngor Dwyfor i fuddsoddi'n hael yn yr arfordir i'w warchod a'i drysori.

Dywedir y bu'r Rhufeiniaid ar y Penrhyn Du yn mwyngloddio plwm ond prin yw'r dystiolaeth. Fodd bynnag, bu yma brysurdeb garw hyd ddiwedd y bedwaredd ganrif ar bymtheg pan agorwyd lefelau, codi simneiau a gosod traciau i gloddio'r garreg blwm o ddaear Bwlchtocyn a'i allforio o'r Penrhyn Du i'w phuro yn Elsmere Port a Phorth Tywyn. Ar y Penrhyn Du codwyd deg tŷ ac ysgol ar gyfer y mwynwyr profiadol ddaeth yma o Gernyw a gellir bod yn eithaf siŵr mai Cernyweg oedd eu hiaith. Yr unig olion gweladwy bellach yw'r trac a drowyd yn llwybr cyhoeddus y gellir ei ddilyn o Sarn Bach i'r penrhyn, a'r adeilad lle'r oedd y boiler a gynhyrchai stêm i droi'r olwyn fawr a hithau yn ei thro yn troi'r pympiau a'r gwyntyll.

Yn Nantpig, ar y ffordd i Gilan y maged y Prifardd Alan Llwyd. Ef a lwyddodd i ennill y Gadair a'r Goron yn Eisteddfod Genedlaethol Rhuthun, 1973 ac Aberteifi yn 1976. Allan yn y môr mae Ynysoedd Tudwal – y Fawr a'r Fach. Digon digynnwrf a disylw ydynt bellach ac o Brom Pwllheli yn y nos gwelir fflachiadau coch goleudy'r Ynys Fach. Carla Lane, awdures cyfresi teledu megis *Liver Birds* yw perchennog yr ynys fwyaf bellach. Gwarchod yr ynys yw ei bwriad meddai, ac yno ceir defaid Soy a cheirw. Bu'n fwriad unwaith i'w throi yn hafan i noethlymunwyr. Cyn hynny

sefydlwyd abaty arni a mwynhaodd gyfnodau o lwyddiant ond yn 1887 fe'i maluriwyd mewn storm a hynny pan oedd y Parchedig Henry Bailey Maria Hughes yn ceisio sefydlu cymdeithas fynachaidd yno.

Ar ddistyll gwelir Cerrig y Trai yn glir o sawl cyfeiriad yn union fel trydedd ynys fechan i'r dwyrain o'r Ynys Fawr.

Yma yn 1851 yn y *St Tudwal's Roads* a fu'n fan llochesu i filoedd o longau hwyliau mewn storm y collwyd *Ann Pugh* – y Fflat Huw Puw enwog.

Mae rhyw swyn yn unigedd Cilan yn ein hatgoffa o ardaloedd gwledig Iwerddon ar eu gorau. Mae traeth ardderchog ym Mhorth Ceiriad a gellir mwynhau'r unigedd wrth amseru'r ymweliad yn ddoeth. Mae'r gelltydd yn rhyfeddol ac yn arbennig felly y Parad Mawr ym mhen gorllewinol y traeth. Arferai'r trigolion gasglu wyau gwylanod o'r nythod yma drwy ollwng eu hunain dros y dibyn ar raffau. Gwelir ffurfiau rhyfeddol yn y graig wrth edrych arni o'r traeth. Ar ben y clogwyn gwelir olion caer hynafol, Castell Ysgubor Hen – lle gwych a chwbl ddiogel rhag ymosodiadau o'r môr.

Ym mhen dwyreiniol Traeth Porth Ceiriad mae Traeth yr Arian ac yna ceir Traeth Sidan a Thraeth Twmpath Melyn, ac ymlaen i Drwyn Llech y Doll, Nant y Bedol a Phared Gwylanod – enwau swynol tu hwnt.

Mae rhan o Drwyn Cilan sy'n eiddo i'r Ymddiriedolaeth Genedlaethol yn ddifyr i'w gerdded – ei rostir a'i byllau a gelltydd serth clogwyni'r môr yn codi arswyd. Wrth edrych eto tua'r gorllewin gwelir pen draw Llŷn ac Ynys

Enlli. Mae Porth Neigwl yn fae agored anferth sy'n ymestyn oddi yma i Fynydd y Rhiw. Mae'n edrych yn fae caredig a deniadol gyda'i dywod a'i elltydd pridd ac yn dynfa i bysgotwyr a hwylfyrddwyr, ond bu'n angau i lu o longau hwylio pan ddaethant i mewn i gysgodi rhwng Trwyn Cilan a Thrwyn Talfarach. Wedi'u dal o fewn ei enau ni allent ddianc oddi yno pan fyddai gwynt o'r de-orllewin ar eu cefnau. Un o'r llongau a gollwyd oedd y *Twelve Apostles*. Llong o Bwllheli ydoedd ac ym mis Tachwedd 1898 suddodd wrth ddychwelyd o Southampton mewn gwynt deheuol cryf, ac er bod delw o Sant Pedr ar ei bow fe'i collwyd.

Mae'r môr yn manteisio'n gyson ar feddalwch y gelltydd ac ers dechrau'r ganrif mae'r ffermydd wedi colli caeau. Profiad digon ysgytwol yw cerdded y traeth a gweld y tirlithriadau. Mewn un man ar ben yr allt gwelir platiau wedi eu paentio gan gwmni cynhyrchu paent i arbrofi a gweld sut y mae eu cynnyrch yn gwrthsefyll heli yn nannedd y ddrycin.

Yn llechu yn mhen dwyreiniol Morfa Neigwl mae pentref tawel Llanengan. Prif atyniad y pentref, ar wahân i'r *Sun* - y dafarn boblogaidd, yw Eglwys Sant Einion. Mae ganddi dŵr hardd a chlychau y dywedir iddynt ddod yma o abaty Enlli pan ddifrodwyd hwnnw. Mae rhannau o'r muriau yn dyddio'n ôl i'r bymthegfed ganrif. Dywedir y darganfuwyd sêl Einion, Deon Llŷn gan ffermwr o Gricieth wrth iddo aredig ei gae ac arni gellir darllen '*SOGILL ENNII DECANI LEIN*' - sêl Einion Deon Llŷn. Mae yma awyrgylch hynafol gyda'r sgrîn hardd - hon eto o Enlli, a chist, sef Cyff Engan lle cedwid

trysorau'r eglwys. Rhoddwyd tri chlo ar y gist a goriad yr un i'r ddau warden a'r person. Nid nepell mae Ffynnon Engan.

Ar y llethr tu ôl i'r pentref gwelir simdde o gyfnod pan oedd angen gwyntyllu mwynfeydd plwm Tanrallt. Mae'r ffordd yn mynd heibio i'r *Sun* a thrwy Forfa Neigwl, yn mynd heibio i diroedd eang a fu, fel Penyberth, yn rhan o ddatblygiad maes ymarfer rhyfela a ffrwydro yn ystod yr Ail Ryfel Byd. Diflannodd ffermdy Punt y Gwair yn llwyr amser y rhyfel. Gerllaw mae maes parcio ar gyfer Porth Neigwl.

Mae awyrgylch dawel braf yn mhentref taclus Llangïan gyda'i siop, neuadd bentref a Chapel Smyrna. Roedd Smyrna yn un o'r Saith Eglwys Fore, a Smyrna Llangïan yn un o'r saith Capel Smyrna sydd yng Nghymru. Mae Eglwys Sant Cian yn hynod o dlws a hynny i'w briodoli yn hanesyddol i'r ffaith mai hon oedd eglwys teulu Nanhoron. Coffeir nifer o aelodau â phlaciau ac â beddi yn y fynwent.

Y crair hynaf o lawer yn y fynwent yw'r garreg ithfaen a welir ar ochr ddeheuol yr eglwys. Mae hon yma ers y bumed neu'r chweched ganrif.

Bu Daniel Silvan Evans yn gurad yma yng nghanol y bedwaredd ganrif ar bymtheg. Bu David Owen (Brutus) yn weinidog ar gapeli Bedyddwyr y cylch ac yn byw yn Llangïan. Yma yn Llangïan y maged y Prifardd Elwyn Roberts a'r Parchedig Harri Parri, a heb fod ymhell yng nghyffiniau Nanhoron y ganed y Prif Lenor a'r Prifardd John Gruffydd Jones.

Aiff y ffordd i'r chwith yn Llangïan ac ymlaen i gyfeiriad Botwnnog. Ond

*Harbwr Aber-soch*

*Porth Ceiriad*

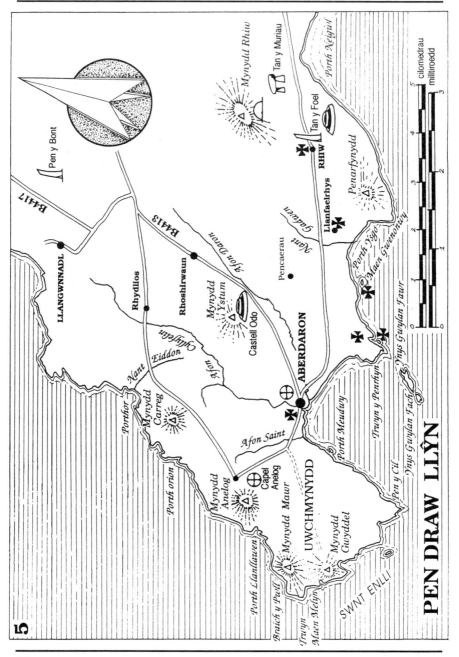

Pen y Bont

B4417

LLANGWNNADL

Rhydlios

Rhoshirwaun

B4413

*Afon Daron*

*Nant Cyllyfelin*

*Afon Cyllyfelin*

*Nant Eiddon*

Mynydd Carreg

Porthor

*Porth orion*

Mynydd Ystum

Castell Odo

Pencaearau

ABERDARON

Mynydd Anelog

Capel Anelog

*Porth Llanllawen*

Mynydd Mawr

UWCHMYNYDD

Mynydd Gwyddel

*Bwlch y Pwll*

*Trwyn Maen Melyn*

*Afon Saint*

*Porth Meudwy*

*Porth Cadlan*

Trwyn y Penrhyn

*Pen y Cil*

Ynys Gwylan Fach

Ynys Gwylan Fawr

*Maen Gwenonwy*

*Porth Ysgo*

*Nant Gadwen*

Llanfaelrhys

Penarfynydd

RHIW

Tan y Foel

Mynydd Rhiw

Tan y Muriau

*Porth Neigwl*

SWNT ENLLI

Ynys Guylan Fachh

**PEN DRAW LLŶN**

cilometrau
milltiroedd

rhaid mynd dros Bont Seithbont sy'n croesi afon Soch er mwyn mynd i gyfeiriad Mynydd y Rhiw. Dyma eto ddychwelyd i Forfa Neigwl a gafodd ei enw, yn ôl y traddodiad, oddi wrth Nigel de Lohareyn, y bonheddwr hwnnw a dderbyniodd yr holl freintiau pan roddwyd statws bwrdeistrefol i Nefyn a Phwllheli.

Ger Trefollwyn ym mhen draw Porth Neigwl mae llwybr yn arwain i lawr i'r traeth a gallt serthaf Llŷn yn dringo i fyny i bentref y Rhiw. Ar y dde mae Plas yn Rhiw sydd bellach yn eiddo i'r Ymddiriedolaeth Genedlaethol ar ôl i'r chwiorydd Keating ei gyflwyno iddynt. Mae'r plasty a'r gerddi yn hynod o ddifyr a'r cyfan yn cael eu gwarchod yn chwaethus ers eu hadfer i'w cyflwr gwreiddiol.

Hyd yn ddiweddar cartrefai'r cenedlaetholwr a'r bardd R.S. Thomas yn Sarn Plas. Bu am rai blynyddoedd yn rheithor Aberdaron a phan ymddeolodd daeth i fyw yma.

Yn uwch i fyny'r allt mae cromlech Tan y Muriau ac yna ymhellach i fyny ac ar y ffordd o'r Rhiw i Fryncroes ceir olion ffatri arfau cerrig. O'r safle hon ceir golygfeydd eang o ogledd-orllewin Llŷn sy'n ymestyn o Anelog i Borth Dinllaen ac i'r cyfeiriad arall o Borth Neigwl i'r Eifl ac ymlaen tuag at Eryri a Meirionnydd. Ar y ffordd i bentref y Rhiw mae Eglwys Sant Aelrhiw a'i ffynnon.

Mae'r orsaf radar yn swatio yng nghysgod Clip y Gylfinir. O'r graig leol y cloddiwyd manganîs ac yn ôl y sôn bu'r Rhufeiniaid yma'n ei gloddio a'i ddefnyddio i lifo dillad. Oddi yma ar ddechrau'r ugeinfed ganrif, ac o

weithfeydd eraill yng nghyffiniau Porth Ysgo, y cloddiwyd 90% o fanganîs Prydain. Fe'i defnyddid i galedu haearn, llawer iawn ohono yng ngwaith dur Brymbo. Ar y dechrau cludwyd ef mewn troliau at ffrwd lle byddai'r gwragedd yn ei olchi, yna ei gario mewn car llusg i lawr i Borth Neigwl o ble yr allforid ef. Fel y cynyddai'r galw rhaid fu codi glanfa ym Mhorth Neigwl a chario'r manganîs i lawr i'r fan honno gyda 'weiar-rôp'. Ond yn ystod gaeaf 1910-11 dinistriwyd y lanfa gan storm ac ni atgyweiriwyd hi. Bu'n fwriad, pan oedd bri ar y gwaith mango, i agor rheilffordd o Bwllheli i'r Rhiw a chyflogid dau gant o weithwyr yn y mwynfeydd. Bu'r cloddio ar ei brysuraf yn 1912 yn ystod y rhyfel rhwng Rwsia a Japan. Rhyfedd meddwl bod rhyfel ym mhellafoedd byd yn dylanwadu'n economaidd ar ardal wledig Llŷn. Ychydig o weithwyr a ymfudodd yma o bell. Byddai'n hawdd denu'r gweision ffermydd i'r mwynfeydd gan eu bod yn cynnig llawer gwell cyflog.

Er i ysgol, dau gapel ac eglwys y Rhiw gau mae gweithgareddau y neuadd yn dal mewn bri a'r Clwb Ffermwyr Ifanc gyda'r mwyaf llwyddiannus yng Nghymru.

Un o gymeriadau amlycaf y Rhiw oedd Morgan y Gogrwr – pregethwr herfeiddiol y Diwygiad Methodistaidd. Ef oedd un o brif gymeriadau'r anterliwt 'Ffrewyll y Methodistiaid' a nofel *Toriad y Wawr*, nofel fuddugol Morris Thomas yn Eisteddfod Pwllheli 1925. Fe'i harestiwyd am bregethu a'i roi o flaen ei well. Ond er i'w ddau blentyn gael eu cario mewn dau gawell wedi eu strapio o bobtu cefn mul i'r llys, ni lwyddwyd i ennyn tosturi. Bu o flaen ei well ddwywaith am bregethu a'i ddedfrydu bob tro i gyfnod yn y llynges. Digon tameidiog yw hanes gweddill ei fywyd ond mae digon o hanes yna i ennyn cryn gydymdeimlad.

Aiff llwybr sy'n mynd i fyny'r mynydd ger Tanyfoel (capel a addaswyd yn dŷ) heibio i faen hir sy'n swatio yn y wal gerrig ac ymlaen at olion caer oedd mewn safle hynod o drawiadol ar ben y Creigiau Gwinau. Mae'r bwlch oedd yn borth i'r gaer i'w weld yn amlwg o bell.

Unwaith y gadewir pentref y Rhiw ar y ffordd sy'n arwain i lawr i Aberdaron ceir golygfa ryfeddol o ben draw Llŷn. Draw dros ardal Penycaerau ac Aberdaron gwelir Uwchmynydd gyda'i Fynydd Gwyddel a Mynydd Mawr, ac i'r dde Mynydd Anelog a Mynydd Carreg. Yn y môr, yn agos i'r lan, mae craig fawr – Maen Gwenonwy. Allan ymhellach gwelir Ynysoedd Gwylan ac Ynys Enlli tu hwnt. Mae rhyw swyn arbennig yn y rhan hwn o'r penrhyn, popeth yn arafu a phopeth ynglŷn â'r fro yn gysylltiedig â chanrifoedd cynnar y seintiau Celtaidd.

Ar y ffin rhwng plwyf y Rhiw a phlwyf Llanfaelrhys ar ddechrau'r ganrif roedd dau faen hir, y naill ar ei draed a'r llall ar ei orwedd. Dywedir i ddau leidr, Lladron Maelrhys, geisio lladrata arian o Eglwys Llanfaelrhys ond wrth iddynt groesi o un plwyf i'r llall disgynnodd barn Duw arnynt a'u troi yn golofnau carreg. Mae Eglwys Llanfaelrhys yn seml a glân, cymeriad sy'n gweddu i'w safle unig uwchlaw Porth Ysgo ym mhen draw Llŷn. Yn y

fynwent ac o dan swp o rug y claddwyd yr Athro T. Jones Pierce (1905-64), yr ymchwilydd dyfal i hanes ganoloesol Cymru. Claddwyd y chwiorydd Keating o Blas yn Rhiw yma hefyd.

Bu cryn gloddio am fanganîs yn y dyffryn bychan a elwir yn Nant y Gadwen ac sy'n rhedeg i lawr i Borth Ysgo. Mae'r olion, yn siafftiau a lefelau, i'w gweld o hyd ar ochr chwith y llwybr sy'n rhedeg i'r traeth ac ar ben yr allt gwelir olion adeilad oedd yn berthynol i'r gwaith. Codwyd glanfa ym Mhorth Ysgo ar gyfer allforio'r mango a rhedwyd rheilffordd i lawr ati o Fynydd y Rhiw.

Draw ar hyd yr arfordir o Borth Ysgo mae Porth Cadlan a llwybr yn rhedeg i lawr iddo o Benycaerau. Dyma'r fan orau i weld Maen Gwenonwy a Charreg Chwislen. Enw arall ar y blodyn prydferth lili'r dyffrynnoedd yw gwenonwy ac mae hyn, a'r ffaith mai mam Hywyn a chwaer y Brenin Arthur oedd Gwenonwy, yn ychwanegu at gyfriniaeth y fro.

Un o enwogion Penycaerau oedd Owen Griffith a fu'n cadw siop yma. Derbyniodd gyfrinach sut i wella'r ddafad wyllt gan ei ewythr o Siop Penygraig, Llangwnnadl a bu'n ddiwyd iawn am flynyddoedd yn cynnig meddyginiaeth i'r rhai a ddioddefai oddi wrth yr anhwylder hwn. Byddai ganddo glinig wythnosol ym Mhwllheli a thyrrai'r dioddefwyr i'w gartref.

Mae tair ffordd yn arwain i Aberdaron a phob un ohonynt yn elltydd serth sy'n disgyn i'r pentref. Wrth ddod iddo o gyfeiriad Penycaerau gwelir y traeth tywodlyd a

*Aberdaron*

gelltydd môr Uwchmynydd yn gefndir iddo. Ar fin y traeth gwelir Eglwys Sant Hywyn a beddau morwyr a chapteiniaid yn ogystal â Brenin Enlli yn y fynwent. Yn yr eglwys y claddwyd Berach a Hunog a roddodd ei enw i Bryn Hunog, ffermdy heb fod ymhell. Gellir dyddio muriau cornel ogledd-orllewinol yr eglwys o'r ddeuddegfed ganrif – y cyfnod hwnnw yn fuan ar ôl i'r mynaich gynorthwyo Gruffudd ap Cynan i ffoi i Iwerddon pan oedd y Normaniaid ar ei warthaf. Ond rai blynyddoedd yn ddiweddarach Gruffudd ap Cynan ei hun oedd yn ymlid ei fab-yng-nghyfraith, Gruffudd ap Rhys. Cafodd hwnnw seintwar yn yr eglwys yn 1115 a llwyddo wedyn i ddianc adref i Ddyffryn Tywi. Ar y colofnau mawr yng nghanol yr eglwys gwelir creithiau lle dywedir y bu'r milwyr yn hogi eu cleddyfau. Un o'r

pethau hynaf yng ngwlad Llŷn yw ei phorth. Erbyn hyn dychwelwyd Cerrig Anelog i'w cartref ym mhlwyf Aberdaron ac fe'u gwelir yn yr eglwys.

Yn 1841 codwyd eglwys newydd ar ben yr allt ymhell o afael y tonnau ond atgyweiriwyd yr hen eglwys a'i hailagor yn 1868 a hi yw'r un yr addolir ynddi yn gyson.

Yma ar y traeth y llifa afon Daron i'r môr ar ôl i afon Cyll y Felin ymuno â hi yn y pentref. Pan welid yr afon yn llifo draw i'r gorllewin ar draws y traeth tua Phorth Simdde credid y byddai prisiau'r farchnad y flwyddyn honno yn uchel, ond byddent yn ansefydlog pan newidiai ei chwrs i'r dwyrain. Gwelir llawer o olion atgyfnerthu âr y gelltydd i wrthsefyll y tirlithriadau bygythiol.

Bu cryn fri ar draeth Aberdaron hyd yn oed cyn blynyddoedd y fisitors. Galwai llongau masnach bychain yma yn rheolaidd gyda'u llwythi o lo a chalch. Nid gwaith hawdd oedd dadlwytho llong galch ar draeth tywodlyd. Felly, hwylid y llong i mewn ar ben llanw a'i chlymu dros ei hochr wrth y ddolen oedd ar Garreg y Ring. Ar drai deuid â throliau i lawr at y llong a'i dadlwytho, ac yna ar y llanw nesaf gellid ei hwylio allan i'r môr yn ddigon hwylus.

Ceir hanes gwraig o Uwchmynydd yn cerdded ffermydd i gasglu wyau a'u hanfon i Aberdaron er mwyn i slŵp y teulu eu cludo i Lerpwl i'w gwerthu.

Bu Aberdaron yn gyrchfan smyglwyr. Un o'r rhai enwocaf oedd Huw Andro a fu'n smyglo halen yn Iwerddon. Angorodd llong Ffrengig a smyglwyr ar ei bwrdd yn y bae yn 1767. Daethant i'r lan yn cario cleddyfau a gynnau ac yn ceisio gwerthu deg casgenaid o frandi a chist o de am ddegpunt!

Allan yn y bae yn ystod yr haf gwelir cychod Aberdaron yn rasio. Cychod pren traddodiadol ydynt. Bu bri ar Regata Aberdaron ar hyd y blynyddoedd a bellach mae'r hwylwyr yn berchenogion ar Glwb Hwylio Hogia Llŷn.

Dyma'r bae y cyfeirir ato yng ngherdd T. Rowland Hughes 'Pe Bawn i . . . '. Trwyn y Penrhyn welir yn ymestyn i'r môr yn y dwyrain. Mae 'Uwchmynydd a'i graig' yn y gorllewin, a thu hwnt i hwn, allan o'r golwg, y mae Enlli. Yma hefyd y mae 'creigiau Aberdaron' a anfarwolwyd gan Cynan. Os dilynir llwybr tuag at Borth Meudwy gellir cerdded heibio i'r 'bwthyn unig'.

Yng nghanol y bae yn gorwedd yn urddasol y mae Ynysoedd Gwylanod – y Fawr a'r Fach. Maent yn safleoedd o Ddiddordeb Gwyddonol Arbennig lle mae'r bilidowcar, llurs, gwylog a'r pâl yn nythu. Ar un adeg arferid cario defaid drosodd yn yr haf i bori.

Yn yr haf mae Aberdaron yn hynod o brysur a pharcio ar ochr y stryd yn gwbl amhosibl. Mae maes parcio yng nghanol y pentref yn hwylus ar gyfer y traeth, siopau, bwytai, y *Ship* neu Tŷ Newydd a'r Gegin Fawr. Dyma hen adeilad a adeiladwyd yn yr ail ganrif ar bymtheg ond yn ôl traddodiad dyma fan gorffwys y pererinion cyn croesi'r Swnt i Ynys Enlli.

Gellir cerdded yn hwylus i Borth Meudwy i'r gorllewin o Aberdaron. Dyma fan croesi'r meudwy i Enlli – ganrifoedd yn ôl a heddiw. Heb fod ymhell mae fferm Bodermyd – lle a fu, yn ôl yr enw, yn fan i encilio iddo. Pan gyfeirir at encilio a phererindota, Ynys Enlli yw'r fan sy'n dod i'r meddwl yn syth.

Mae'r ffordd sy'n arwain i'r gorllewin o Aberdaron yn dringo i Uwchmynydd – yr ardal wledig y canodd Cynan ei gerdd olaf iddi.

Troi trwy Uwchmynydd a'i lonydd
bach cul
Lle mae amser bob amser yn
bnawn dydd Sul.

A'r tylwyth fel eu teios yn hoff ac yn
hen
Yn araf eu gwg ac yn araf eu
gwên.

Mae amryw o enwau yn Uwchmynydd yn ein hatgoffa o'r drefn weinyddol a fodolai yma ganrifoedd yn ôl – Bryn Crogbren ar dir fferm y Cwrt a thŷ o'r enw Secar yn nes i'r pentref. Yn Secar y trigai'r canghellor, yr *exchequer.*

Ger Porth Cloch y collwyd cloch abaty Bala o'r cwch pan geisiwyd mynd â hi i ddiogelwch Ynys Enlli. Er ceisio ei chodi o waelod y môr fe fethwyd a dyna roi bod i'r dywediad 'môr sownd â chloch y Bala'. Ger Pen y Cil y collwyd cwch Enlli, y *Supply*. Dyma'r cwch a gyflenwai holl anghenion y goleudy trwy eu cludo o'r tir mawr i'r ynys. Hwyliodd y cwch ar ddydd olaf Tachwedd 1822 o Borth Meudwy gydag ugain o bobl ar ei bwrdd. Roedd yn stormus yn ôl yr alargan gan Ieuan Llŷn:

Môr trochionllyd a therfysglyd,
Cyhwynfanllyd, accw fu:
Tonnau cedyrn, dyrchafedig
Ffyrnig, ddymchweledig lu.

Er eu bod o fewn 'hyd rhaff angor' i gyrraedd diogelwch Cafn Enlli trawodd graig a chollwyd y llong. Boddwyd chwech gan gynnwys y capten a'i ferch. Ymdrinir â hyn ac agweddau eraill o fywyd pen draw Llŷn yn grefftus gan Dr Emyr Wyn Jones yn *Ysgubau'r Meddyg* a *Lloffa yn Llŷn*.

Mae'r Parwyd yn un o'r gelltydd serthaf yn yr ardal i gyd, Pared Gallt Uffern, yn ôl Myrddin Fardd.

Mae Mynydd Gwyddel yn fryncyn hawdd i'w gerdded, ac enw hwn yn ein hatgoffa o'r cysylltiad clòs fu rhwng Llŷn ac Iwerddon.

Mae pob taith yn arwain at Fynydd Mawr i gael yr olygfa orau o Ynys Enlli dros y Swnt. Mae llawer o dir yr ardal hon yn eiddo i'r Ymddiriedolaeth Genedlaethol a hawl felly i'w gerdded ar yr amod y caiff ei barchu.

Mae ffordd goncrid yn arwain i ben Mynydd Mawr, ffordd amser rhyfel i fynd i'r orsaf wylio ar ei gopa. Lleolir arddangosfa gan yr Ymddiriedolaeth Genedlaethol ynddo. Er mai rhyw fryn go lew yw Mynydd Mawr mae'r olygfa'n arswydus i lawr i'r dyfnjiwn islaw ond yn eang ymlaciol dros y môr i Iwerddon. Yn agos gwelir Rhiw, Aberdaron ac Uwchmynydd a phatrwm y lleiniau a'r caeau bychain yn dystiolaeth o'r hen ddull o ffermio. I lawr dros Fae Ceredigion gellir gweld y Preselau. Dyna welodd Cynan, ac aeth yr olygfa â'i fryd yn llwyr:

Rhwng banciau o borffor ac aur yn
stôr,
Yn sydyn odditanom dim ond môr,

Môr a môr at y gorwel a'i hud
A ninnau wedi cyrraedd pen draw'r
byd.

A'r wybren o'n hôl yn denau a chlir
Ar fynyddoedd chwe gwahanol sir.

Mae'r hafn rhwng Mynydd Gwyddel a Mynydd Mawr, sef Ogof Gath, yn arwain i lawr at Ffynnon Fair. Ar y trwyn uwchben Ffynnon Fair gwelir Maen Melyn Llŷn. Maen iasbis ydyw wedi ei orchuddio â chen melyn, sydd mor nodweddiadol o'r arfordir. Y maen hwn roes ei enw i'r cwmwd – Cymydmaen – Cwmwd y Maen. Am y Maen Melyn y canodd Dafydd Nanmor yn ei gywydd i 'Wallt Llio':

Mewn moled main a melyn
Mae'n unlliw â'r maen yn Llŷn.

Un o'r lleoedd a nodir ar fapiau o bob math yw Braich y Pwll ac fe'i lleolir yn union o dan Mynydd Mawr. O'i gwmpas rhoddwyd enwau i greigiau a phyllau a gelltydd – Gallt y Clafrwyn, Pwll Darllo, Trwyn Briwbwll, Ogof Cwningod, Braich y Noddfa a llu o rai eraill.

Mae rhamant Ynys Enlli i'w deimlo o ben Mynydd Mawr waeth beth fo'r tywydd na pha awr o'r dydd neu'r nos ydyw. Rhwng y tir mawr a'r ynys mae'r Swnt yn frochus mewn storm neu'n llonydd dwyllodrus ar hindda. Eto i gyd gwelir pysgotwyr Aberdaron ac Uwchmynydd yn ei forio'n hamddenol i godi eu cewyll, ond bob amser yn ei barchu:

Os mynnwch ddal bendith y
machlud ei hun
Ewch yn yr ysbryd i ben draw Llŷn.

# Ynys Enlli

Draw dros y don mae bro dirion
nad ery
Cŵyn yn ei thir, ac yno ni thery
Na haint na henaint fyth mo'r rhai
hynny
A ddêl i'w phur, rydd awel, a phery
Pob calon yn hon yn heini a llon,
Ynys Afallon ei hun sy' felly.

Beth tybed fyddai ymateb T. Gwynn Jones pe dywedid wrtho mai cyfeirio at yr un ynys a wna yn yr hir a thoddaid o awdl 'Ymadawiad Arthur' ac yn un o'i benillion mwyaf poblogaidd?

Pe cawn i egwyl rhyw brynhawn
Mi awn ar draws y genlli,
A throi fy nghefn ar wegi'r byd,
A'm bryd ar Ynys Enlli.

Beth bynnag yw ein barn wrthrychol ni am y gwaith ymchwil diweddar ynglŷn â pherthynas y Brenin Arthur ag Enlli, mae'n sicr o ychwanegu at y swyn a'r rhamant sy'n gysylltiedig â'r ynys.

Bu Enlli yn gyrchfan pererindota ar hyd y canrifoedd a heddiw o dan arolygaeth sensitif a Chymreig mae'r dynfa iddi gymaint ag erioed. Ystyrid tair ymweliad i Enlli gyfwerth â dwy i Ddyddewi neu un i Rufain. Bu trybestod y Swnt rhwng yr ynys a'r tir mawr yn fodd i sicrhau fod Enlli yn cadw ei arwahanrwydd a'r bygythiad o fethu dychwelyd pan fo'r tywydd yn newid yn ychwanegu at yr her sydd iddi a'r parch tuag ati.

Mae cychod sy'n cario deuddeg o ymwelwyr yr un yn hwylio o Bwllheli yn ddyddiol pan fo'r tywydd yn caniatáu.

Dyma'r unig gwch masnachol sydd â hawl i gario teithwyr yno gan fod yr Ymddiriedolaeth yn awyddus i reoli nifer yr ymwelwyr.

Mae'n daith awr o Bwllheli ar hyd arfordir deheuol Llŷn – heibio i Ynysoedd Tudwal a Phorth Ceiriad, Trwyn Cilan a Phorth Neigwl, Ynysoedd Gwylan a Phen y Cil gan lanio'n ddiogel yn y Cafn, yr unig lanfa a ddefnyddir heddiw, a chael ychydig oriau i hamddena. Gellir dal y cwch o Borth Meudwy ger Aberdaron hefyd. Taith ddeuddeng munud dros y Swnt yw honno i dreulio teirawr a hanner ar Enlli.

Ceir llu o enwau ar greigiau, cilfachau ac ogofâu Enlli. Gwyddai'r trigolion yn dda am bob porth a hafn – bob un wrth ei enw. Ond gan mai traddodiad llafar sy'n trosglwyddo enwau o genhedlaeth i genhedlaeth, collwyd gwybodaeth am yr union leoliadau.

Dywed traddodiad i Harri Morgan, y môr-leidr enwog, lanio ar Enlli a gellir tybio mai yn Ogof Morgan y cuddiodd ei drysorau. Neu ai Ogof Modran yw'r ffurf gywir? Plancton sy'n goleuo yn y nos yw modran ac fe'i gwelir yng nghyffiniau'r Cafn. Mae ei ymddangosiad yn darogan tywydd mawr.

Ar Drwyn y Llanciau a ger Porth y Tri Brawd y collwyd tri o feibion Tyddyn Mawr, Tudweiliog ar ôl iddynt ddod yma o Borth Ysgaden i bysgota penwaig.

Wrth gerdded ar hyd y lan o'r Cafn a mynd tua'r de hyd Fae Honllwyn gwelir morloi yn nofio'n hamddenol neu'n gorwedd yn ddiog ar y gro a'r creigiau.

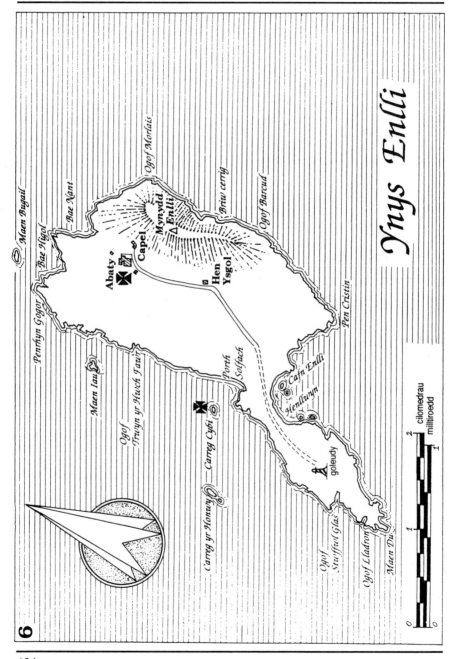

Ynys Enlli

Maen Bugail

Bae Nant

Ogof Morfais

Penrhyn Gogor

Bae Higol

Mynydd Enlli

Briw cerrig

Ogof Barcud

Abaty

Capel

Hen Ysgol

Pen Cristin

Maen Iau

Ogof Trwyn yr Hwch Fawr

Porth Solfach

Cefn Enlli

Henllwyn

Carreg yr Honwy

Carreg Cybi

goleudy

Ogof Stwffwl Glas

Ogof Lladron

Maen Du

cilomedrau

milltiroedd

2

1

1

0

0

6

Gerllaw mae'r goleudy a godwyd yn 1821, yn dŵr sgwâr coch a gwyn anferth. Gall tonnau'r môr wrth hyrddio yn erbyn goleudy crwn lifo dros yr wyneb yn hytrach na'i daro'n sgwâr a phery difrod. Ond gan nad yw goleudy Enlli yn debygol o dderbyn yr un driniaeth roedd yn haws ei godi yn sgwâr nag yn grwn. Mae i bob goleudy ei batrwm goleuo ei hun ac yn Enlli ceir golau gwyn yn fflachio bob pymtheg eiliad. Pan fydd yn niwl dopyn bydd corn Enlli yn cymryd drosodd, nos a dydd, i ruo'n ddolefus bob tri chwarter munud. Awtomateiddiwyd y goleudy yn 1988 a chyn bo hir fe'i solareiddir i'w wneud yn fwy annibynnol fyth.

Llifoleuwyd, y goleudy yn 1973 er mwyn i'r miloedd o adar sy'n hedfan yn flynyddol dros Enlli ar eu teithiau ymfudol ei weld. Yn 1994 lladdwyd 290 o adar a aeth yn ei erbyn. Mae Gwylfa Adar a Maes ar Enlli yn atyniad poblogaidd iawn i wylwyr adar.

Un o'r adar hynotaf sy'n ymweld ag Enlli yw aderyn drycin Manaw. Treulia'r gaeaf ym mhellafoedd de America a dychwelyd i Gymru i nythu mewn tyllau yn y tir lle bydd y rhieni'n gwarchod y cyw unig a'i fwydo'n hael hyd nes y bydd yn rhy dew i ddod o'i dwll. Dyna pryd y bydd y rhieni yn ymadael ag ef yn ddi-fwyd ac yn unig. Bydd yn llwgu ac yn teneuo a dyna pryd y bydd yn gallu gadael ei nyth i chwilio am fwyd a dilyn ei rieni cyn belled â Bae Vizcaya i wneud hynny. Gellir priodoli'r ffaith fod yr adar yn llwyddo i fagu eu cywion mor llwyddiannus ar Enlli i'r ffaith nad oes yno lygod mawr.

Ger Maen Du, uwchben Porth Solfach ac ar Benrhyn Gogor mae cytiau gwylio adar ac oddi yno hefyd gellir edmygu'r dolffiniaid yn mynd trwy eu campau allan yn y môr.

Porth Solfach yw'r unig draeth tywodlyd ar yr ynys. Roedd yn lanfa boblogaidd gan y môr-ladron gan fod modd glanio allan o olwg y tir mawr. Allan yn y bae mae Carreg Cybi, adlais eto o oes y seintiau sy'n ein hatgoffa bod Sant Cybi ei hun wedi ei gladdu yma.

Mae rhyw wawr binc i'w gweld yn Ogof Trwyn yr Hwch Fawr a hynny i'w briodoli i liw y graig ac i'r llu anemoni'r môr coch tywyll sy'n byw ar y graig, yn gaeëdig ar drai ond byddant yn agor a chwifio eu bysedd hirion ar lanw.

Ym mhen gogleddol yr ynys ceir golygfa o Fae yr Higol a Bae'r Nant gyda Maen Bugail yn codi o'r Swnt a chlogwyni Uwchmynydd ar y tir mawr yn disgyn yn serth i'r môr.

Gerllaw mae olion yr abaty a sancteiddiwyd i'r Santes Fair. Bu abaty cynharach yma yn oes aur y seintiau. Yn 1252 y ceir y cyfeiriad cyntaf at Abaty Santes Fair, abaty a berthynai i'r Canoniaid Awgwstinaidd. Wynebodd gyfnodau cythryblus am dair canrif, nid yn unig o ganlyniad i gecru o fewn yr eglwys ond oherwydd i ddeg ar hugain o fôr-ladron arfog ymosod arni yn 1346 a chipio bwyd a diod y mynaich. Pan ddaeth Gerallt Gymro i Lŷn yn 1188 cyfeiriodd at Enlli fel y fan ryfeddol honno lle'r oedd y bobl hynaf yn marw gyntaf a phrin neb yn marw o unrhyw afiechyd.

Roedd Meilyr, bardd llys Gruffudd ap Cynan, mor gynnar â 1140 wedi datgan mai ei ddymuniad ef oedd cael ei gladdu ar Enlli:

Creawdwr a'm crewys a'm
cynnwys i
Ymhlith plwyf gwirin gwerin Enlli

Bellach saif adfail yr abaty gan warchod nifer o feini cerfiedig a chroes i goffáu yr Arglwydd Newborough, perchennog yr ynys hyd y 1970au. Adleolwyd nifer o hen feini o'r cyfnod cynnar pan ddaeth galw am gilbost adwy neu lintel ffenest a drws. Gwelir un uwchben ffenest llofft Nant.

Codwyd y capel, sydd erbyn hyn yn anenwadol, yn 1875. Yma cynhelid yr ysgol ddyddiol gyntaf ar Enlli dan ofal y gweinidog a'i wraig, yn ogystal ag oedfaon y Sul a noson waith. Codwyd yr ysgol yn 1876 a bu mewn bri hyd nes y caewyd hi yn 1947. Yn ystod y 1940au bu Dilys Cadwaladr yn athrawes yn yr ysgol.

Cynhelir gwasanaethau yn rheolaidd ar Enlli yn ystod yr haf. Cynhelir oedfaon yn y capel dan arweiniad un o'r pedwar caplan fydd yno, a bydd mynach Fransiscaidd yn cynnal cwmplin Cymraeg fore a hwyr.

Un arall a dreuliodd rai blynyddoedd yma, o 1947 hyd 1962, oedd yr arlunydd Brenda Chamberlain, ac yn Eisteddfod Genedlaethol y Rhyl, 1953 enillodd y fedal aur am ddarlun o blant Cristin. Mae rhai murluniau o'i heiddo i'w gweld yng Ngharreg Fawr hyd heddiw, er eu bod yn dirywio'n gyflym.

Mae dewis o lwybrau i'w dilyn o'r pentref i'r Cafn. Mae Llwybr yr Arglwydd yn dringo i fyny'r llethr o Blas Bach. I fyny hwn yr âi'r Arglwydd Newborough ar gefn ei geffyl i gopa'r mynydd i fwynhau yr olygfa dros yr ynys, draw dros y goleudy a thua phen draw'r byd.

Y dewis arall yw dilyn y ffordd drwy ganol yr ynys a heibio i'r tai. Yr unig fwthyn traddodiadol ar Enlli bellach yw Carreg Bach. Codwyd gweddill y tai gan yr Arglwydd Newborough o gwmpas 1870. Gofynnodd i'r trigolion ddewis p'un ai capel, glanfa neu odyn galch fyddent yn ddymuno ei gael. Dewiswyd capel, ond dywedir mai diffyg cei addas oedd un o'r rhesymau dros yr ymfudo mawr yn y 1930au!

Bu Love Pritchard, Brenin Enlli, yn Eisteddfod Genedlaethol Pwllheli 1925 a chroesawyd ef yn gyhoeddus gan Lloyd George fel brenin tramor! Gwelir ei goron mewn cas gwydr yn yr Amgueddfa Forwrol yn Lerpwl – yn goron felen o bres a thun ac yn bigog fel coron Neifion. Pan werthwyd cynnwys Plas Boduan, oedd yn eiddo i'r Arglwydd Newborough, aeth popeth bron o dan y morthwyl ond coron Brenin Enlli. Y brenin cyntaf y gwyddys iddo gael ei goroni â'r goron hon oedd John Williams yn 1820 gan yr Arglwyddes Maria Stella Newborough. Ei fab ef a'i dilynodd ac yna Love Pritchard a fu farw yn 1927.

Un o'r darganfyddiadau mwyaf gwerthfawr ar Enlli yn ddiweddar yw'r benglog a gloddiwyd ger Tŷ Newydd yn 1995. Yng ngheg y benglog roedd darn aur yn dyddio o 980 O.C. a llun o Edgar o Wessex arno. Bryd hynny roedd yn arferiad claddu cyrff pwysigion gyda darn aur ar dafod y marw yn dâl i 'Hen Gychwr Afon Angau'.

Gwneir ymdrechion clodwiw ar Enlli i'w hadfer i'w chyflwr naturiol ac adnabyddir hi fel fferm gadwraeth. Caiff y tir ei drin ond ni ddefnyddir gwrtaith masnachol. Deuir â tharw du Cymreig o safon uchel iawn yma yn flynyddol at y gwartheg ac mae diadell o ddefaid yma. Heuir tri chae o ŷd yn y gobaith y gellir denu rhegen yr ŷd yn ôl i nythu. Er bod Enlli ar ei thaith ymfudol i'r Alban mae'n gyndyn iawn i gartrefu yma. Nid oes cwningod ar Enlli er 1996. Fe'u difawyd gan y mycsamatosis a ddaeth yma rhywsut o rywle.

Rhaid i'r holl blanhigion fod yn unigryw i Enlli a chan nad yw'r coed drops na'r coed bythwyrdd yn frodorol rhaid eu diwreiddio a phlannu coed megis drain duon a gwynion ac ysgaw yn eu lle.

Croesewir teuluoedd i dreulio'u gwyliau ar Enlli, Mae'r tai sydd ar osod yn ddidrydan ac yfir dŵr o ffynnon.

*John Williams yr Ail, Brenin Enlli*

Gellir trefnu gwyliau trwy holi yn Siop Enlli yn Aberdaron. Croesewir gwirfoddolwyr a gwylwyr adar yma yn ogystal ag ymwelwyr am y dydd. Mae'r ynys yn eiddo i Ymddiriedolaeth Ynys Enlli a gellir cefnogi'r ymdrechion i'w gwarchod a'i datblygu drwy gyfamodi neu ymuno â'r mudiad. Cynhyrchwyd nifer o bamffledi am yr amrywiaeth o feysydd diddordeb sydd ynglŷn â'r ynys – daeareg, bywyd gwyllt ac encilfa ysbrydol. Am unrhyw wybodaeth bellach, ffôniwch (01758) 760667.

Yn y fro ddedwydd mae hen
                            freuddwydion
A fu'n esmwytho ofn oesau
                            meithion.

# Gwarchod Cefn Gwlad

Mae nifer o safleoedd' wedi eu dynodi fel llecynnau unigryw gan asiantaethau sy'n gwarchod cefn gwlad, ar sail y nodweddion unigryw a berthyn iddynt.

## Tirwedd o Ddiddordeb Hanesyddol Eithriadol

Cofrestrwyd gan CADW a Chomisiwn Cefn Gwlad Cymru ar sail teilyngdod diwylliannol a thystiolaeth o ddefnydd o dir dros amser. Ymhlith y nodweddion sy'n arbennig i'r ardal rhestrir trefgeyrydd Oes yr Haearn, safleoedd a chysylltiad ag olion Cristnogaeth gynnar, cloddiau a gwrychoedd, amgaeadau Deddfau Cau Tir a.y.b.

## Ardal Amgylchedd Arbennig Penrhyn Llŷn

Dynodwyd Llŷn yn rhan o gynllun amaethu amgylchedd i annog tirfeddianwyr i reoli tir mewn modd sy'n llawn ystyried effaith ac anghenion yr amgylchedd.

## Ardal o Harddwch Naturiol Eithriadol

Yn 1957 dynodwyd chwarter arwynebedd Llŷn yn ardal o harddwch naturiol eithriadol. Un ohonynt yw arfordir pen draw Llŷn o Lanbedrog i Borth Dinllaen gan ymestyn drwy Forfa Neigwl a Nanhoron i Garn Fadrun, a'r llall yw'r ardal arfordirol o Nefyn gan gynnwys Garn Boduan ac ymlaen i'r Eifl a thu hwnt i Drefor.

## Safleoedd o Ddiddordeb Gwyddonol Arbennig

Mae'r ffaith fod cynifer o ardaloedd yn Llŷn wedi eu dynodi fel Safleoedd o Ddiddordeb Gwyddonol Arbennig yn profi'r cyfoeth o nodweddion amgylcheddol a bywyd gwyllt unigryw a phrin sydd yma. Maent yn rhannu'n fras yn ddau ddosbarth:

*Nodweddion Daearegol*
Pwll Penallt, Y Rhiw (SH 222282)
Nant y Gadwen, Pencaerau
   (SH 211267)
Porth Neigwl (SH 270273)
Porth Ceiriad (SH 290252 – 324265)
Pen Bennar, Aber-soch (SH 316238)
Chwarel Beudy Bigyn, Mynydd
   Cefnamwlch (SH 230347)

*Nodweddion bywyd gwyllt* (os ceir nodweddion daearegol yn ogystal nodir â *)
Ynysoedd Gwylan (SH 184245 &181242)
Ynys Enlli (SH 120220)
Glannau Aberdaron (SH 167263 –
   167301) *
Mynydd Penarfynydd, Y Rhiw
   (SH 225265)
Penmaen, Pwllheli (SH 363348)
Aber Geirch, Edern (SH 268404)
Porth Dinllaen, Morfa Nefyn
   (SH 270411 – 297410) *
Carreg y Llam, Pistyll (SH 334437)
Gallt y Bwlch, Nant Gwrtheyrn
   (SH 345440
Yr Eifl (SH 365447) *

## Treftadaeth Glennydd Llŷn

Rhoddwyd statws arbennig iawn i 55 milltir o arfordir Dwyfor yn 1974 pan ddiffiniwyd ef yn arfordir treftadaeth

*Bathodyn 'Treftadaeth Glennydd Llŷn'*

ar sail ei gyfoeth hanesyddol, daearyddol, ecolegol a daearegol. Mae'r arfordir yn ymestyn o Benrhyn Du, Aber-soch ymlaen o gwmpas Ynys Enlli ac i'r gogledd hyd at yr Eifl ac ymlaen i Aberdesach. Y bwriad yw gwarchod yr arfordir, i leihau'r gwrthdaro rhwng ymwelwyr, buddiannau cadwraeth a bywyd bob dydd y cymunedau lleol. Gwneir gwaith ymarferol ar draethau, llwybrau cyhoeddus, safleoedd picnic a chodir waliau ac arwyddion cyfeirio. Addurnir pob safle ag arwyddlun gyda'r frân goesgoch yn amlwg arno.

**Gwarchodfeydd Natur Cenedlaethol**
Ynys Enlli a Gors Geirch.

**Gwarchodfeydd Natur Lleol**
Mae ardal Lôn Cob Bach, Pwllheli (SH 373347) wedi ei dynodi gan Gyngor Gwynedd oherwydd ei gwerth ecolegol lleol a'r defnydd hamdden a wneir ohoni. Mae'n gymharol unigryw fel Gwarchodfa Natur Leol am ei bod yn enghraifft o wlyptir a gwastadedd llifogydd o fewn tref. Bwriedir ei hymestyn yn ystod y blynyddoedd sydd i ddod.

**Ardaloedd Cadwraeth**
Dynodwyd nifer o adeiladau yn Llŷn gyda'r bwriad o'u gwarchod a diogelu naws pentrefi'r ardal. Yn eu plith mae canol pentrefi Aberdaron a rhannau o Lanengan a Llangïan sydd o fewn cyffiniau'r eglwys. Rhestrir nifer o adeiladau ym Mhwllheli, megis y wyrcws, Penlan Fawr, *Whitehall*, dorau'r harbwr, Hen Neuadd y Dref, y gofeb ar y Cob a'r addoldai.

**Yr Ymddiriedolaeth Genedlaethol**
Mae mwy a mwy o dir Llŷn, yn arbennig ar yr arfordir, yn dod i berchenogaeth yr Ymddiriedolaeth Genedlaethol – bron i 3000 o aceri. Mae dyfodol y tir wedi ei warchod; caiff ei amaethu a rhoddir rhyddid rhesymol i'r cyhoedd i'w grwydro.

Yr unig adeilad o'u heiddo sy'n agored i'r cyhoedd yw Plas yn Rhiw.

**Safle Ramsar**
Mae'r Gors Geirch a Chors Edern sy'n ymestyn o Rydyclafdy i gyfeiriad Edern yn enghraifft ragorol o gorstir calchog a chydnabyddwyd eu harbenigrwydd yn 1998 gan gomisiwn Ramsar. (Ramsar – dinas yn Iraq lle'r arwyddwyd cytundeb.)

**Ardal Cadwraeth Arbennig Morol**
Dynodwyd yr ardal forol, a adnabyddir

fel 'Pen Llŷn a'r Sarnau' ar sail cyfoeth bywyd gwyllt y môr, arbenigrwydd ei haberoedd a'r riffiau ar Sarnau Padrig, Gyfelog a Wallog. Mae Sarn Badrig yn greigiau tanddwr sy'n rhedeg o Fochras ym Meirionnydd ac i'r de o Ynys Enlli a'r ddwy arall yn is i lawr Bae Ceredigion.

# Bywyd Gwyllt

## Adar

Mae nifer o safleoedd ardderchog i wylio adar yn Llŷn ac er mor fympwyol yw'r adran hon mae'n taflu ychydig oleuni ar yr amrywiaeth adar sydd yma.

Rhestrir y mannau gwylio adar canlynol gan yr RSPB:

Braich y Pwll, Uwchmynydd.
Porth Meudwy, Aberdaron ac ymlaen i Ben y Cil.
Porth Ysgo, Penycaerau (SH 207268) – parcio yma.
Plas yn Rhiw.
Trwyn Cilan.
Aber-soch a throsodd i Langïan (SH 295283).
Mynydd Tir y Cwmwd, Llanbedrog.
Afon Penrhos (SH 344338) i Bwllheli.
Pwllheli, yr harbwr yn arbennig.
Porth Dinllaen (SH 282406) – parcio yma.
Nefyn i Bodtacho Ddu (Llwybr Ty'n Coed) (SH 309404 – 304390).

Prif safle gwylio adar yn Llŷn ac un o'r rhai amlycaf yn Ynysoedd Prydain yw Ynys Enlli. Mae'r Wylfa Adar a Maes a sefydlwyd yma yn 1953 ar lwybr ymfudol glannau'r gorllewin rhwng Gwlad yr Iâ, yr Alban, Ynys Manaw, Penfro, Cernyw, Llydaw, Gibraltar ac Affrica lle y modrwyir adar a'u cyfrif. Yn 1986 gwnaed hi'n Warchodfa Natur Genedlaethol.

## Aderyn Llŷn

Y frân goesgoch welir ar fathodyn Treftadaeth Glennydd Llŷn a hynny am ei fod yn aderyn y gallwn ni ei hawlio. Mae'r frân goesgoch yn aderyn Celtaidd gan nad yw'n perthyn i Loegr o gwbl. Yng Nghymru, Ynys Manaw, gorllewin yr Alban, Iwerddon a Llydaw yn unig y ceir hwy. Dim ond rhyw 250 o barau sy'n nythu yn Ynysoedd Prydain ac o'r rhain mae 100 pâr yn nythu yn Llŷn. Gellir eu gweld ar yr arfordir creigiog o Gilan i'r Eifl, yn hedfan yn acrobatig yn yr awyr a'u sgrech fain yn ein sicrhau nad un o aelodau mwy cyfarwydd teulu'r brain ydynt. Cânt yr amodau iawn i fyw a magu eu cywion yn Llŷn, sef porfa fer, clogwyni creigiog ac ogofâu i nythu ynddynt, a hinsawdd gymhedrol.

**Adar y Clogwyni**
Ar greigiau ysgythrog yr Eifl, pen draw Llŷn, o Anelog i Gilan ceir heidiau anferth o lursiaid, gwylog, bilidowcar, mulfrain gwyrdd, gwylanod o bob math a nythfeydd o bwys. Ar Ynysoedd Gwylan mae rhai cannoedd o adar y pâl yn nythu. Maent yn ddiogel yno o gyrraedd llygod mawr. Yng ngelltydd tywodlyd Porth Dinllaen a Nefyn mae llu o wenoliaid y glennydd yn nythu.

**Adar y Môr**
Daw aderyn drycin y graig i nythu yng nghreigiau Cilan a Thrwyn Llanbedrog yn y gwanwyn ar ôl treulio'r gaeaf allan yn y môr. Ddiwedd yr haf o Borth Dinllaen i Borth Colmon gellir gweld ymfudwyr fel y morwenoliaid cyffredin, y bigddu a'r gogledd. Ar Ynys Enlli ac yn y Swnt bydd aderyn drycin Manaw mor swnllyd ag erioed.

Gwelir hugan o dro i dro gryn bellter o'r lan gyda'i adenydd anferth yn hedfan yn ddiymdrech uwchben y môr.

**Adar yr Harbwr**
Ceir amrywiaeth gyfoethog o hwyaid yn Harbwr Pwllheli: yr hwyaden wyllt, hwyaden yr eithin, hwyaden ddanheddog a'r hwyaden frongoch er enghraifft. Pan fydd yr ymfudwyr wedi cyrraedd yma yn y gaeaf o'r gogledd oer bydd yma amrywiaeth cyfoethog iawn. Bryd hynny bydd cynnydd yn y chwiwell, corhwyaden a'r hwyaden llydanbig. O Drwyn Carreg yr Imbill gellir gweld nifer o'r hwyaid llygad aur.

Unwaith y bydd y llanw'n troi a harbwr Pwllheli yn gwagio bydd y rhydyddion yn dychwelyd – y pibydd coesgoch ac ambell bibydd coeswerdd, cwtiad torchog, rhostog gynffon fraith, pibyddion y mawn a'r aber. Gwelir y gïach yn gwibio'n igam-ogam dros yr Harbwr Bach yn aml ac mae gweld rhegen y dŵr yn diflannu'n swil i blith yr hesg yn brofiad i'w drysori.

Ceir amrywiaeth eang o wylanod yn gyson – y penwaig, y benddu, y gefnddu fwyaf a'r leiaf ac ambell i wylan gyffredin.

Mae pioden y môr (saer yw enw Llŷn arni) a'i chwiban glir gyda'r aderyn mwyaf cyfarwydd yn yr harbwr ac o gwmpas yr arfordir.

Yma ac yn nhraeth Aber-erch yn y gaeaf gwelir y trochyddion a'r gwyachod yn plymio i chwilio am bysgod.

Profiad prin yw gweld glas y dorlan yn saethu'n lliwgar o garreg i garreg ar fin yr harbwr.

Dros y Cob yn yr harbwr bach mae'r crëyr glas yn ymwelydd cyson a'r gwyach fach yn plymio ger Pont Solomon. Mae'r alarch, y cwtiar a'r iâr ddŵr yn aros yma'n ffyddlon haf a gaeaf.

## Adar y Tir Glwyb

Ar diroedd corsiog gwelir y gylfinir, y gornchwiglen a'r betrisen, adar sydd wedi prinhau fel adar nythu oherwydd iddynt golli eu cynefin.

O bobtu'r ffordd rhwng Pont Rhyd John, Penrhos a Charreg y Defaid gellir gweld y gornchwiglen a'r cwtiad aur.

Yn yr hesg rhwng Pont Fechan, Pwllheli a Phenrhos bydd miloedd o ddrudwy yn heidio i glwydo yn y gaeaf gan godi'n gymylau patrymog a glanio yr un mor swnllyd mewn man arall.

Bydd ymwelydd prin – yr hwyaden addfain – i'w gweld yng Nghors Geirch o gwmpas y Pasg.

## Yr Adar Mân

O gwmpas Pen y Cil a Braich y Pwll ac ar hyd y dwnan o Bwllheli i Garreg y Defaid mae clochdar y cerrig i'w weld a'i glywed yn glir yn y haf a'r ehedydd a'i gân unigryw ef wrth ddringo i'r entrychion i'w chlywed o hyd yn Llŷn.

Mae Porth Meudwy yn fan ddelfrydol i wylio'r adar ymfudol sy'n chwilio am gysgod. Yn eu plith gellir gweld yr euryn. Mae'n lle da yn yr haf i weld y siff-saff, telor yr helyg a'r telor penddu, a choch dan adain a'r dryw eurben yn y gaeaf. Bydd mwyalchen y mynydd ar yr Eifl yn yr haf.

## Adar y Coed

Yn y coed ar ochr Garn Boduan mae cynefin y pila gwyrdd, llinos bengoch, titw penddu, cnocell werdd a'r gylfin groes yn achlysurol.

Ceir amrywiaeth ddifyr hefyd yng nghoed Nanhoron. Dyma'r fan fwyaf gorllewinol i'r gwybedog brith nythu.

## Adar Ysglyfaethus

Mae'r bwncath, fel y cudyll coch, bellach yn llawer mwy cyffredin a gwelir yr hebog tramor uwchlaw creigiau'r arfordir. Lleoedd da i weld y dylluan wen a'r dylluan fach yw'r tir gwlyb ar lannau afon Soch rhwng Llangïan a Llanengan a'r dylluan glustiog yn y Gors Geirch. Mae'r bod tinwen yn hoff o hela yn y fan honno hefyd.

## Anifeiliaid

Ceir digonedd o lwynogod yn Llŷn a gwelir y ffwlbart, y fronwen a'r carlwm o dro i dro. Mae'r mochyn daear i'w weld yn gyson yn Nyffryn Nanhoron ar ôl iddi dywyllu.

Bu'r dyfrgi yn bur gyffredin ond dim ond ar achlysuron prin y gwelir ef yn awr yng nghyffiniau'r Gors Geirch. Mae'r gors hon hefyd yn gynefin i amryw o famaliaid digon prin, rhai fel llyg y dŵr *(Neomys fodiens)*, llygoden y dŵr *(Arvicola amphibus)* a llygoden yr ŷd *(Micromys minitus)*. Gwelir tân bach diniwed yno hefyd a chwilen na cheir hi yn unman arall, *Cloenius tristris*.

Ceir amrywiaeth o ystlumod yn byw yma gan gynnwys yr ystlum pedol lleiaf *(Rhinolophus hipposideros)* sydd bellach yn eithriadol o brin.

Aeth cyn-berchennog Ynysoedd Tudwal â cheirw drosodd yn y 1980au ond bu cryn bryder amdanynt gan ei bod mor ddigysgod yno. Llwgodd rhai a golchwyd eraill i'r môr. Nofiodd rhai i'r tir mawr a chrwydro mor bell â Porth Dinllaen lle bu'n rhannu cafn bwyd â'r defaid yno. Dywedir bod un ewig yn nofio yn ôl i'r ynys bob blwyddyn i eni ei chywion.

Gwelir geifr ar yr Eifl ac yn Nant Gwrtheyrn a hyd yn oed ym mynwent eglwys Pistyll. Golygfa drawiadol yw gweld un o'r bychod gyda'i flew hir a'i gyrn troellog. Rhai dof wedi'u rhyddhau ydynt ac mae tri math ohonynt. Y rhai golau eu lliw yw'r rhai gwreiddiol o'r stoc yr arferai hen drigolion yr Eifl eu cadw i bori'r clogwyni. Y Gwyddelod a drigai yn Nant Gwrtheyrn ac weithiau yn y chwareli ddaeth â'r rhai du a gwyn yma ddiwedd y bedwaredd ganrif ar bymtheg. Mae'r lleill yn rhai a gyrhaeddodd yma yn ail hanner yr ugeinfed ganrif gyda phobl y dinasoedd pan ddaethant i geisio byw bywyd syml a rhamantus. Pan ddadrithiwyd hwy gollyngwyd eu geifr.

### Creaduriaid y Môr

Dynodwyd y môr o gwmpas Llŷn yn Safle Cadwraeth Arbennig gan fod y bywyd gwyllt yn arbennig o gyfoethog. Mae Bae Ceredigion yn enwog am ei ddolffiniaid a gellir gweld tri math ohonynt: dolffin risso *(Grampus griseus)*, dolffin trwyn potel *(Tursiops truncatus)* a'r dolffin cyffredin *(Delphinus delphis)* yn ogystal â llamhidydd *(Phocaena phocoena)*.

Yng nghanol y 1990au gwelwyd crwban môr cefnlledr yng nghyffiniau Ynys Enlli ac Aber-soch. Golchwyd yr un mwyaf a welwyd erioed yn y byd i'r lan yn Harlech ac mae hwn bellach yn cael ei arddangos yn Amgueddfa Genedlaethol Cymru.

### Planhigion

Un o olygfeydd tlysaf bryniau Llŷn yw'r grug sy'n cyd-dyfu â'r eithin mân yn arbennig ar hyd glannau Aberdaron ac ar yr Eifl. Dyma un o'r nodweddion a fu'n gyfrifol am ddynodi'r rhannau hyn o'r arfordir yn Safleoedd o Ddiddordeb Gwyddonol Arbennig.

Rhoddwyd yr un statws i Allt y Bwlch sy'n ymestyn o Nant Gwrtheyrn i Garreg y Llam gan fod yma goedwig arfordirol agored hynafol. Mae'n enghraifft bwysig o goedlan gan nad yw coed derw yn tyfu mor agos i'r môr fel arfer. Ynddi hefyd ceir cyll, drain duon a bedw a hwythau wedi eu plygu gan wyntoedd cyson o'r gorllewin. Ceir nifer o rywogaethau prinnach yma hefyd.

Ym Mhorth y Nant o dan Gallt y Bwlch mae'r pabi corniog melyn neu babi'r môr *(Glaucium flavum)* i'w gweld ymysg y cerrig ar y traeth. Ganol haf gwelir y blodyn mawr melyn, ei ddail tew gwyrddlas ac yna'r codau had tua throedfedd o hyd yn ymddangos yn ddiweddarach. Mae'n eithaf anghyffredin.

Ar graig Penmaen, Pwllheli tyf yr eurinllys culddeiliog *(Hypericum liarifolium)*. Dyma ei safle mwyaf gogleddol yn Ynysoedd Prydain.

Ym mynwent eglwys Pistyll mae'r ysgawen fair *(Sambucus embulus)* yn tyfu, wedi goroesi o'r ardd berlysiau a llysiau meddyginiaethol a ffynnai yma yn oes y pererinion. Enw arall arno yw llysiau gwaed y gwŷr – hynny am fod ynddo sudd coch.

Hen lyn – sef Llyn Boduan – wedi llenwi sydd yn y Gors Geirch. Ceir yn y corsydd calchog hyn gymunedau o blanhigion a bywyd gwyllt eithriadol o bwysig ac enghreifftiau o blanhigion hynod o brin, fel y frwynen glymog *(Juncus planifolius)* a'r llawfrwynen fawr *(Cladium mariscus)*. Mae'r canlynol yn brinnach fyth – chwysigenwraidd ganolig *(Utricularia intermedia)*, tegeirian y gors gulddail *(Dactylorhiza traunsteineri)* a phlu'r gweunydd culddail *(Eriophorum gracile)*. Yn eu mysg mae nifer o bryfetach nas ceir yn unman arall yn Ynysoedd Prydain.

# Hamddena

## Cerdded

### Llwybrau'r Arfordir
Mae cyfres o lwybrau yn ein galluogi i gerdded bron yr holl ffordd o gwmpas yr arfordir. Cyngor Gwynedd sy'n gofalu amdanynt ac yn gweithredu trwy Brosiect Treftadaeth Glennydd Llŷn a sefydlwyd yn 1985. Atgyweiriwyd llwybrau a chamfeydd ac arddangosir bathodyn y frân goesgoch ar y mannau hynny.

1) **O Waith Mawr Trefor i eglwys Pistyll:**
   Cychwyn i fyny inclên y chwarel, dros Fwlch yr Eifl i ben Nant Gwrtheyrn ac ymlaen heibio Ciliau ac at eglwys Pistyll.

   Ar y daith gellir ymuno â
   - llwybr i Dre'r Ceiri
   - cylchdaith Nant Gwrtheyrn
   - llwybr i Garreg y Llam

2) **O Nefyn i Borth Widlin:**
   Cychwyn ar ben y Lôn Gam, Nefyn ac ar hyd ben yr allt i Borth Dinllaen gan ddilyn yr arwyddion o borth i borth hyd nes cyrraedd Porth Widlin lle gellir ymuno â'r ffordd o Langwnnadl i Aberdaron. (Paratowyd taflen 'Rhwydwaith Llwybrau Llŷn' gan Gyngor Gwynedd).

   Ar y daith gellir
   - cerdded ar hyd y traethau tywod – Nefyn, Porth Dinllaen, Tywyn a Phenllech
   - ymweld â Phorth Dinllaen, Abergeirch, Porth Cychod,

Porth Ysgaden, Porth Gwylan, Porth Ychain, Porth Colmon a Phorth Tŷ Mawr
- ymuno â'r ffordd fawr i ymweld â Morfa Nefyn, Edern, Tudweiliog a Llangwnnadl

3) **O Borth y Wrach i Aberdaron:**
Cychwyn ger Methlam i Borth y Wrach, ar hyd traeth Porthor gan ddilyn arwyddion i dir yr Ymddiriedolaeth Genedlaethol. Ymlaen i Fynydd Anelog a Mynydd Mawr ac i gyfeiriad Mynydd Bychestyn a Phen y Cil ac i Aberdaron. Mae llwybrau'n blith drafflith ond yn cysylltu â'i gilydd yn hwylus.

Ar y daith gellir
- gweld chwarel maen iasbis Carreg ac ymweld â Dinas Fawr a Dinas Bach
- dringo Mynydd Anelog, Mynydd Mawr a Mynydd Gwyddel
- ymweld â Ffynnon Fair a gweld safle Eglwys Fair
- ymweld â Phorth Meudwy lle mae'r cychod yn cychwyn i Enlli

4) **O Borth Ysgo i'r Rhiw:**
Cychwyn ger Ysgo ac i lawr i'r traeth. Dylid dilyn yr arwyddion o un darn o dir sy'n eiddo i'r Ymddiriedolaeth Genedlaethol i'r llall.

Ar y daith gellir
- sylwi (yn ofalus) ar olion y gwaith manganîs ar y gelltydd
- archwilio olion cyn hanes o

gwmpas y Rhiw

5) **Porth Neigwl i Borth Ceiriad:**
Cychwyn ger fferm Treheili wrth droed Gallt y Rhiw ac ar hyd traeth Porth Neigwl ac i dir yr Ymddiriedolaeth Genedlaethol. Yna dilyn yr arwyddion i ochr arall Trwyn Cilan lle ceir arwyddion Porth Ceiriad.

Ar y daith gellir
- sylwi ar effaith tirlithriadau ar elltydd Porth Neigwl
- mwynhau natur agored Mynydd Cilan
- gweld daeareg arbennig Porth Ceiriad a'r Parad Mawr

6) **Aber-soch i Bwllheli:**
Taith ar hyd traethau Ty'n Twyn, Llanbedrog a Phwllheli

Ar y daith gellir
- sylwi ar olion tair chwarel ar Fynydd Tir y Cwmwd
- ymweld â Llanbedrog
- dilyn llwybrau dros Fynydd Tir y Cwmwd

7) **Cylchdaith Pwllheli:**
- Pen Cob i Farian y De ac ar hyd y Prom, Dwnan ac at y golff
- Dilyn llwybr coediog drwy'r golff a thros Bont Lechen i Tyrpeg
- Ger Penmaen dilyn y llwybr i gyfeiriad Efailnewydd ac yn Pensarn dilyn Penlon Llŷn i gyfeiriad Pwllheli
- Ar ben yr allt troi i'r chwith am Ben Garn ac allan ger Coleg Meirion Dwyfor
- Troi i'r chwith ac ymlaen heibio i fynwent Deneio a throi i'r dde i

lawr Allt Barcty ac allan ger fflatiau Bro Cynan. (Gellir cerdded ar hyd y Traeth a Lôn Dywod yn ôl i Ben Cob.)

* Cerdded ar hyd Lôn Aber-erch a chroesi afon Erch a'r rheilffordd ac ymlaen o gwmpas trwyn Glan Don
* Dychwelyd i Ben Cob drwy gerdded ar hyd ochr yr harbwr

**Llwybrau Traws Gwlad**
Trefnodd Treftadaeth Glennydd Llŷn nifer o deithiau cerdded, 'Rhwydwaith Llwybrau Llŷn', sy'n dilyn llwybrau a lonydd tawel ar hyd ac ar draws y penrhyn. Mae'r taflenni ar gael yn swyddfeydd Cyngor Gwynedd, Ffordd y Cob, Pwllheli. ☎ (01758) 613131. Dylid dilyn y mapiau OS priodol.

1) Pwllheli Llanbedrog
2) Pistyll Llithfaen Pwllheli
3) Porth Dinllaen Rhydyclafdy Llanbedrog
4) Porth Dinllaen Porth Widlin
5) Porth Dinllaen Nefyn Botwnnog
6) Porth Ysgaden Aber-soch
7) Llangwnnadl Tudweiliog Porth Neigwl
8) Uwchmynydd Aberdaron

Mae Cylchdeithiau i ddilyn:
Tudweiliog
Garn Fadrun a Llaniestyn
Sarn Mellteyrn
Mynytho ac Aber-soch
Llanbedrog
Llangwnnadl
Aberdaron

Llangïan a Llanengan
Nefyn ac Edern
Pwllheli
Llwybrau'r Pererinion
I Ynys Enlli o Glynnog Fawr
ac o Feirionnydd

## Cerdded Bryniau

**Mynydd Mawr, Uwchmynydd (SH 140258)**
Mynd i ben draw Uwchmynydd a pharcio ger arwydd a map yr Ymddiriedolaeth Genedlaethol.

Dilyn y ffordd goncrid i'w gopa yna i lawr y grisiau i gyfeiriad Enlli a throi i'r chwith yn ôl i'r man cychwyn.

Gellir hefyd gerdded o fan hyn i ben Mynydd Gwyddel (SH 142252) neu i lawr i Ffynnon Fair (SH 139252).

**Mynydd Anelog, Uwchmynydd (SH 152273)**
Dilyn y llwybr o Gapel Uwchmynydd. Gellir cerdded ar dro croes i'r cloc a dychwelyd at y capel.

**Mynydd y Rhiw, y Rhiw (SH 293295)**
Parcio yn y Rhiw a dilyn un o'r nifer o lwybrau o gylch a thros y mynydd.

**Garn Fadrun (SH 280352)**
Parcio rhwng Capel Garn Fadrun a Siop Tan y Grisiau a dilyn y llwybr i fyny heibio i'r capel.

**Mynydd Tir y Cwmwd, Llanbedrog (SH 330248)**
Nifer o lwybrau, e.e. dringo o draeth Llanbedrog i fyny Allt Goch drwy Winllan y Plwyf.

Dilyn y ffordd o Lanbedrog heibio i

neuadd yr eglwys lle mae arosfa ar ben yr allt. Parcio a dilyn y llwybr a arwyddir.

**Garn Boduan, Boduan (SH 312395)**
Parcio ar y chwith wedi gadael croesffordd Boduan i gyfeiriad y Ffôr ar y B4354. Dilyn ffordd y Comisiwn Coedwigaeth i'r copa.

**Tre'r Ceiri, Llithfaen (SH 374446)**
Unai dringo'r llwybr sy'n cychwyn ar yr allt o Lanaelhaearn i Lithfaen (B4417) neu ddilyn arwyddion Nant Gwrtheyrn o Lithfaen. Defnyddio'r maes parcio a cherdded i'r gogledd ddwyrain tua'r copa.

**Gwaith Mawr, yr Eifl (SH 363453)**
Dilyn arwyddion Nant Gwrtheyrn o Lithfaen a pharcio ar Ben y Nant. Dilyn y ffordd arw i gyfeiriad Bwlch yr Eifl rhwng y ddau gopa.

# Dringo

Ni welir llawer o ddringwyr yn Llŷn ond eto i gyd mae nifer o ddringfeydd cydnabyddedig ar elltydd creigiog yr arfordir. Dylai unrhyw un sydd am ddringo sylweddoli pa mor beryglus y gall pennau gelltydd gwelltog Llŷn fod a dylent bob amser barchu amgylchedd arbennig yr arfordir.

Rhestrir dringfeydd yn y mannau canlynol gan Dave Ferguson ac Iwan Arfon Jones:

Gelltydd yr Eifl, Nant Gwrtheyrn a Charreg y Llam.
Carreg Lefain a Chwarel y Gwylwyr ar Fynydd Nefyn.
Trwyn Maen Melyn Llŷn, y Parwyd a Phen y Cil yn Uwchmynydd.
Mynydd Cilan a'r Henborth.
Trwyn y Wylfa a Phistyll Cim, Bwlchtocyn.
Chwareli ar Fynydd Tir y Cwmwd, Llanbedrog.

# Chwaraeon yn Llŷn

Am ragor o fanylion gellir cysylltu â Swyddog Datblygu Chwaraeon, Canolfan Hamdden Dwyfor, Heol Hamdden, Pwllheli. ☎(01758)613437. Dyma'r gweithgareddau sydd ar gael yn:

**Canolfan Hamdden Dwyfor, Pwllheli**
☎**(01758) 613437**

| | | |
|---|---|---|
| Aerobics | Bowlio | Badminton |
| Sboncen | Nofio | Gymnasteg |
| Sub Aqua | Snorclo | Pêl Fasged |
| Codi Pwysau | | |

**Clwb Chwaraeon Pwllheli, Bodegroes, Efailnewydd**
☎**(01758) 613676**

| | | |
|---|---|---|
| Criced | Hoci | Rygbi |

Mae cyfle i fwynhau'r chwaraeon canlynol yn y mannau a restrir yn ogystal ag yng Nghanolfan Hamdden Dwyfor (lle nodir hynny).

**Bowlio:**
Aber-soch, Nefyn, Rhiw, Y Ffôr

**Badminton:**
Aber-soch, Nefyn, Pwllheli

**Golff:**
Canolfan Golff Llŷn, Penyberth, Penrhos ☎(01758) 701200

**Pêl-droed:**
**(Oedolion):** Nefyn, Pwllheli
**(Ieuenctid):** Bro Enlli (Aberdaron), Pwllheli
**(Plant):** Aber-soch, Bro Enlli, Pwllheli

**Pysgota afon:**
Cymdeithas Pwllheli (Gwybodaeth a thrwyddedau Siop Ledr, Stryd Penlan, Pwllheli)

**Pysgota môr:**
Cymdeithas 'Three Herrings' eto

**Rhedeg:**
Rhedwyr Bro Enlli, Aberdaron

**Snwcer:**
Aberdaron, Aber-soch, Edern, Llithfaen, Llanengan, Llaniestyn, Nefyn, Rhiw, Sarn, Tudweiliog

**Tennis bwrdd:**
Aber-soch

**Clwb Chwaraeon Pentref:**
Bro Enlli, Y Ffôr

**Clybiau Golff:**
Aber-soch ☎(01758) 712622
Nefyn ☎(01758) 720218
Pwllheli ☎(01758) 701644

**Clybiau Hwylio:**
Aberdaron (Clwb Hwylio Hogia Llŷn)
Aber-soch (Clwb Hwylio De Sir Gaernarfon) ☎(01758) 712338
Pwllheli (Clwb Hwylio Pwllheli) ☎(01758) 612219
CHIPAC (Cymdeithas Hwylio Ieuenctid Pwllheli a'r Cylch)

# Traethau Llŷn

Mae traethau Llŷn yn un o'i phrif drysorau gydag amrywiaeth o elltydd creigiog a phridd a thwyni. Lle mae'r gelltydd creigiog ceir pysgod a phreifatrwydd. Mae'r môr yn hynod o glir a glân. Yr unig sbwriel mewn gwirionedd yw'r broc môr a olchir i'r lan – llawer ohono'n blastig bellach ysywaeth. Gwaherddir cŵn ar rai traethau.

| Enw'r Traeth | Rhif Grid SH | Mynediad | Mynediad i'r anabl | Natur | Cyfleusterau wrth law |
|---|---|---|---|---|---|
| Porth y Nant (Nant Gwrtheyrn) | 345446 | llwybr Serth | anaddas | tywod | caffi / toiled |
| Traeth Nefyn | 302408 | parcio/ffordd | addas/serth | tywod | caffi / toiled |
| Porth Dinllaen | 283408 | parcio/ffordd | addas/serth | tywod | caffi / toiled |
| Aber Geirch | 266405 | llwybr | anaddas | creigiau / gro | |
| Traeth Tywyn | 232376 | parcio/llwybr | anaddas | tywod | |
| Porth Cychod | 221376 | parcio/llwybr | pen 'rallt | creigiau / gro | |
| Porth Ysgaden | 219374 | parcio | addas/golygfa | creigiau / gro | |
| Porth Gwylan | 216368 | llwybr | anaddas | gro | |
| Porth Ychain | 210360 | llwybr | anaddas | gro | |
| Traeth Penllech | 204344 | parcio/llwybr | anhwylus | creigiau / tywod | |
| Porth Colmon | 196342 | parcio | addas/golygfa | creigiau / gro | |
| Porth Tŷ Mawr | 189332 | llwybr serth | anaddas | creigiau / gro | |
| Porth Fesyg | 186325 | llwybr serth | anaddas | creigiau / gro | |
| Porth Ferin | 172319 | llwybr | anaddas | creigiau / gro | |
| Porth Iago | 168317 | parcio/serth | anaddas | tywod | |
| Porth y Wrach | 168302 | llwybr | anaddas | creigiau / tywod | |
| Porthor | 166298 | parcio/ffordd | addas/serth | tywod | toiled / siop |
| Porth Orion | 157288 | llwybr serth | anaddas | gro / creigiau | |
| Porth Llanllawen | 145266 | llwybr | anaddas | creigiau | |
| Porth Felen | 143250 | llwybr serth | anaddas | creigiau | |
| Porth Meudwy | 163256 | llwybr serth | anaddas | creigiau / gro | |
| Traeth Aberdaron | 172264 | parcio | addas | tywod | toiled / siop |
| Porth Cadlan | 202264 | llwybr Serth | anaddas | creigiau / gro | |
| Porth Ysgo | 207266 | llwybr Serth | anaddas | creigiau / gro | |
| Porth Neigwl | 284263 | parcio/llwybr | addas | tywod | |
| Porth Ceiriad | 313249 | llwybr serth | anaddas | creigiau / tywod | |
| Traeth Lleferin, Aber-soch | 314277 | parcio | addas | tywod | toiled / siop |
| Traeth Ty'n Twyn | 329303 | parcio | addas | tywod | |
| Traeth Llanbedrog | 332313 | parcio/ffordd | addas/serth | tywod | toiled / siop |
| Carreg y Defaid | 341328 | parcio | gofal | tywod | |
| Traeth Pwllheli | 371342 | parcio | addas | tywod | toiled / siop |
| Glan Môr Aber-erch | 385351 | parcio | addas | tywod | |

# Pysgota

Mae pysgota môr efo genwair o'r traeth neu oddi ar graig yn boblogaidd yn Llŷn gydol y flwyddyn ar bob tywydd, ddydd neu nos. Nid yw'r pysgotwr profiadol angen unrhyw wybodaeth rhagor na chael rhestr o'r mannau gorau i bysgota a pha bysgod y mae'n debygol o'u dal.

Mae'r sawl a gyfrannodd y rhestr isod yn rhybuddio mor beryglus y gall rhai mannau pysgota fod, e.e pysgota oddi ar y creigiau ar Drwyn Cilan, Rhiw ac Uwchmynydd, ac na ddylai unrhyw un fentro yno heb gwmni.

Rhestrir isod y mannau poblogaidd i bysgota a nodir gyda rhifau beth yw'r sefyllfa.

1. Traeth a physgota ar dywod
2. Traeth a physgota ar gerrig
3. Craig a physgota ar dywod
4. Craig a physgota ar gerrig

| Ardal | Man pysgota | Math o sefyllfa |
|---|---|---|
| Pwllheli | Ceg yr Harbwr a'r traeth | 1 |
| | Carreg yr Imbill | 3 |
| Llanbedrog | Carreg y Defaid | 1,2 |
| | Traeth Ty'n Twyn (Trwyn Llanbedrog) | 1 |
| Aber-soch | Traeth Ty'n Twyn, glanfa ar geg afon Soch | 1 |
| Cilan | Porth Ceiriad | 1 |
| | Trwyn Llech y Doll i Drwyn y Ffosle (GOFAL!) | 4 |
| Llanengan | Porth Neigwl | 1 |
| Rhiw | Creigiau Penarfynydd (GOFAL!) | 4 |
| Aberdaron | Traeth | 1 |
| Uwchmynydd | Pen y Cil i Fraich y Pwll (GOFAL!) | 4 |
| Porthor | Traeth a chreigiau | 1,2 |
| Porth Iago | Traeth a chreigiau | 1,3,4 |
| Llangwnnadl | Porth Tŷ Mawr i Borth Colmon | 4 |
| eto | Traeth Penllech | 1 |
| Tudweiliog | Porth Ysgaden i Draeth Tywyn | 3 |
| Morfa Nefyn | Porth Dinllaen a phen Morfa Nefyn i'r traeth | 1,3,4 |
| Nefyn | Traeth y Wern | 2 |
| Pistyll | Doc | 2 |
| Nant Gwrtheyrn | Traeth | 1 |

Abwyd – defnyddir lwgwn, llymrïaid a chyllyll môr, crancod meddal a mecryll.

**Manylion defnyddiol**

Gan fod enwau pysgod yn amrywio o
ardal i ardal, cynigir cyfieithiadau:

ci glas – *Galeorhinus galeus (tope)*
ci pigog – *Squalus acanthias*
*(spur dog)*
draenog môr – *Dicenthrachrus*
*labrax (bass)*
gwrachen (sawl math) – *(wrasse)*
gwrachen ddu – *Spondyliosoma*
*cantharus (black bream)*

gwyniad fôr – *Merlangius*
*merlangus (whiting)*
llysywen y môr – *Conger conger*
*(conger eel)*
morgi llyfn – *Mustelus mustelus*
*(smooth hound)*
morgi brych – *Schyliorhinus*
*stellaris (bull hus)*
morlas – *Polachius virens (coalfish)*
penfras – *Gadus morhua (cod)*
polac – *Polachius polachius (pollack)*
sliwen big hir – *Belone belone*
*(garfish)*

| Pysgodyn | Man pysgota | Tymor | Cynefin |
|---|---|---|---|
| ci môr | pob man | gydol y flwyddyn | tywod / cerrig |
| draenog môr | pob man | gydol y flwyddyn | tywod / cerrig |
| gwyniad y môr | pob man | gydol y flwyddyn | tywod / cerrig |
| macrell | pob man | haf | tywod / cerrig |
| lledod | pob man | gydol y flwyddyn | tywod |
| torbwt | pob man | gwanwyn i hydref | tywod |
| morlas | pob man | haf a hydref | tywod /cerrig |
| gwrachod | pob man creigiog | haf a hydref | cerrig |
| llysywen fôr | creigiau | haf a hydref | cerrig |
| poloc | creigiau | gydol y flwyddyn | cerrig |
| penfras | arfordir gogeddol | gydol y flwyddyn | tywod / cerrig |
| gyrnad | pob man | gwanwyn, hydref | tywod |
| morgi brych | creigiau a dŵr dyfn | gwanwyn a haf | cerrig |
| ci pigog | Cilan, Pen y Cil, arfordir gogleddol | hydref i gwanwyn | tywod / cerrig |
| morgi llyfn | arfordir gogleddol | gwanwyn a haf | tywod |
| gwrachen ddu | Pwllheli i Abersoch | haf, hydref | tywod |
| sliwen big hir | Pwllheli i Abersoch | | tywod |
| cath fôr | Pwllheli | gwanwyn | tywod |
| ci glas | creigiau Aberdaron | haf | tywod |

# Arwyddion Tywydd

## Almanac Enlli

Sylwid fod y tywydd o'r 6ed i'r 18fed o Ionawr (sef deuddeng niwrnod Nadolig yr Hen Galendr) yn darogan y tywydd am y deuddeg mis oedd i ddod. Hynny yw, tywydd y 6ed fyddai tywydd Ionawr, tywydd y 7fed fyddai tywydd Chwefror ac ymlaen hyd y 18fed – hwn fyddai'n darogan tywydd mis Rhagfyr.

## O Fyd Natur

Pan ddaw'r modran (*Nocticula*), sef plancton sy'n golchi i'r lan wedi iddi nosi i Gafn Enlli mae'n arwydd o dywydd mawr.

Os delir mwy o grancesi na gwyrgranc yn Aberdaron daw tywydd braf, ac i'r gwrthwyneb ceir gwynt a storm.

Os gwelir y crëyr glas yn hedfan i lawr afon Erch neu afon Rhyd Hir i gyfeiriad harbwr Pwllheli fe agorir y fflodiart a daw glaw. Os yw'n hedfan i fyny, yna ceir tywydd braf.

Pan fydd y morloi yn canu ar Garreg yr Honwy, Enlli, yna bydd tywydd braf i ddilyn.

## Gwylio'r Môr

Os daw llong i angori i Fae Nefyn yna daw storm a bery am ddeuddydd neu dridiau.

Pan welir y môr yn ddu o Nefyn, a Thrwyn Bodeilias yn wyn, yna daw storm.

## Yr Haul

Pan fydd yr haul yn machlud rhwng y gist a'r pared daw glaw trannoeth.

'Haul gwyn gwan, glaw yn y man.'

## Y Lleuad

Cylch yn agos – glaw ymhell.
Cylch ymhell – glaw yn agos.

## Niwl

Niwl gwanwyn – gwynt
Niwl haf tes

Niwl tes – Pan fydd hi'n braf ym mhob man arall daw niwl o'r môr i orchuddio'r arfordir, yn arbennig ar hyd gogledd Llŷn o'r Eifl i Ynys Enlli.

Pan welir o Bistyll niwl main yn codi dros y Bwlch o Nant Gwrtheyrn dywedir bod Robin Nant yn smocio a'i bod am dywydd braf.

Niwl Ogof Gadi: Dyma'r niwl sydd i'w weld o ardal Bryncroes yn codi uwchben Carreg Plas ac yn darogan tywydd braf. (Mae Ogof Gadi ar yr arfodir yn Anelog.)

## Cymylau

Mae'n siŵr o law pan welir y cymylau yn casglu dros Enlli o Fynytho, neu dros Fynytho o Bwllheli.

Pan fo cymylau mawr gwynion – y *cumulus* – i'w gweld tua'r de fe'u gelwir yn Esgobion Tyddewi, a thua'r dwyrain o'r gogledd fe'u gelwir yn Esgobion Bangor. Enw arall ar rai'r dwyrain a'r gogledd yw Byddigions Cricieth, neu o Nefyn gelwir rhai'r de yn Esgobion Meirionnydd.

Sêm wen Cricieth, glaw mawr anferth; Sêm wen Clynnog, glaw mawr cynddeiriog. (Sêm yw llinell o gymylau ar y gorwel.)

## Sŵn yn cario

Yn Nhŷ Mawr, Rhoshirwaun arferai fod yna injan oel *Detroit* fawr swnllyd. Pan glywai pobl Enlli hi'n troi roedd yn arwydd o dywydd braf (gwynt y dwyrain), ond glaw a geid pan glywai pobl Rhydlios hi (gwynt y de).

Mae afon Selar yn llifo i'r môr o dan Castellmarch ger Aber-soch, a phan glywir ei sŵn gan bobl Mynytho yna ceir tywydd braf, ond tra gwahanol fydd hi pan glywant y môr yn crafu yn Nhraeth Ty'n Don ym Mhorth Neigwl.

Clywir sŵn cloch Carreg y Trai ger Ynysoedd Tudwal gan drigolion Cilan pan fydd am dywydd braf.

**Gweld mannau pell yn agos**
Ceir glaw os bydd Anelog ac Ynysoedd Gwylan i'w gweld yn glir o Ynys Enlli.

Yn yr un modd, daw glaw pan welir golau Ynys Lawd ger Caergybi yn glir o Nefyn, a mynyddoedd Meirion yn glir o Lŷn.

Pan welir Mynyddoedd Wiclo, Iwerddon yn glir o arfordir gogleddol Llŷn, neu Benfro o Lithfaen, yna mae glaw ar ei ffordd.

O Aberdaron ac o Bwllheli ar fore clir gwelir lwmpyn bychan ar y gorwel i lawr yn y de. Copa un o fynyddoedd y Preseli ydyw, ac fe'i gelwir yn Fynydd Bach y Glaw.

Llong wen ar y gorwel o Dudweiliog yn darogan storm a glaw.

**Arwyddion Tywydd Braf**
> Pan fo'r Garn yn gwisgo'i chôt
> Y mae tywydd gwell i ddod.

Cymylau yn gwasgaru fel bod digon o awyr las yn yr awyr i wneud clos pen-glin i glagwydd.

Gwartheg i'w gweld ar ben Foel Penmaen ger Pentre-uchaf ac ar Ben Garn o Bwllheli.

Afon Fawr ar Draeth Penllech, Llangwnnadl yn llifo tua'r gogledd ar y traeth yn arwydd o dywydd sych.

**Arwyddion Glaw**
> Pan fo'r Garn (neu'r Eifl) yn
>             gwisgo'i chap.
> Does fawr o hap am dywydd.

Pyst dan yr haul.

Haul yn mynd i lawr rhwng y gist a'r pared.

**Arwyddion Tywydd Stormus**
'Cyw drycin', h.y. pwt o enfys.

# Detholiad o Enwau Ffermydd a Thyddynnod Llŷn

**Hawddfyd**

Bryn yr Aur, Aber-erch
Berth Aur, Llangwnnadl
Tyddyn Difyr, Tudweiliog
Penfras, Llwyndyrys
Llwynhudol, Aber-erch
Ysgubor Fawr, Llanaelhaearn

**Adfyd**

Dolerwin, Penrhos
Gremp, Bryncroes
Tir Dyrus, Rhoshirwaun
Ardd Grach, Llannor
Grinallt, Llanengan
Tir Tlodion, Llaniestyn

**Lleoliad Daearyddol**

Carneddol, Rhydyclafdy
Penarfynydd, Y Rhiw
Bodarfoel, Llanengan
Bryn Ogo Llwyd, Edern
Penboncyn, Y Rhiw, Boduan
Tŷ Tan y Fron, Uwchmynydd
Ynys, Madryn/Mynytho
Cefngwyfwlch, Botwnnog
Tu Hwnt i'r Ffrwd, Morfa Nefyn
Uwchlaw'r Ffynnon, Llanaelhaearn
Pensarn, Efailnewydd/ Boduan
Ty'n Don, Llanengan
Bryn Deufor, Aberdaron
Ty'n Pistyll, Mynytho
Pwll Clai, Edern,
Pwllcoed, Tudweiliog
Rhyd y Mieri, Rhoshirwaun
Rhydolion, Llanengan
Pont y Gribyn, Llannor
Cefn Deuddwr, Mynytho
Tan y Gofer, Bryncroes
Llyn y Gelod, Rhoshirwaun

Nant yr Henllyn, Sarn Mellteyrn
Nantbig, Cilan
Porth Ysgaden, Tudweiliog
Abergafran, Llithfaen
Rhospalmant, Botwnnog
Gwar Rhos, Rhos-fawr
Ffridd Wen a Ffridd Goch,
Sarn Mellteyrn
Cors yr Hafod, Madryn
Parc y Brenin, Rhoshirwaun
Caeau Brychion, Pwllheli
Pendalar, Mynytho
Morfa Trwyn Glas, Rhoshirwaun
Gwag y Noe, Uwchmynydd
Safn Pant, Aberdaron
Pant y Gwril, Bryncroes
Bwlch Gwynt Mawr, Pistyll
Deuglawdd, Llanengan
Moel y Berth, Llangwnnadl
Carreg Lefain Fawr, Y Rhiw
Tan y Muriau, Y Rhiw
Pen y Bont Maenhir, Llangwnnadl
Pengamfa Fawr, Rhos-fawr
Gromlech, Y Ffôr
Tan y Ceiri, Llanaelhaearn
Llechdara, Llanaelhaearn

**Cysylltiedig ag Adeiladau**

Pentre Bach, Llanaelhaearn
Brynucheldre, Llangwnnadl
Tan y Llan, Tudweiliog
Tan y Fynwent, Llaniestyn
Plas yng Ngheidio, Ceidio
Penycaerau, Y Rhiw
Cae'r Odyn, Llangwnnadl
Bodeilian Isaf, Llannor
Tŷ Fry, Llanengan
Hendre Feinws, Rhos-fawr
Bodgaeaf, Bryncroes

**Enwau Personol**

Tyddyn Adda, Rhydyclafdy
Tyddyn Meilir, Aber-erch
Cae Rhydderch, Rhoshirwaun

Cae Deicws, Mynytho
Bryn Bodfan, Llangwnnadl
Bryn Gwdyn, Botwnnog
Bro Phylip, Botwnnog
Tir Dafydd, Bryncroes
Tai Forgan, Llannor
Olwen, Madryn
Glyddyn Hen, Rhosfawr
Cors Byll, Llangwnnadl
Bodwrog, Llanbedrog
Bodsela, Rhydyclafdy
Parc Bodbadrig, Sarn Mellteyrn
Bodwrdda, Aberdaron,
Bodnithoedd, Botwnnog
Felin Fadryn, Madryn
Cefn Llanfair, Llanbedrog
'Raifft, Tudweiliog
New York, Mynytho
Ffrainc, Llangïan
Bugeilys Bach, Rhoshirwaun
Tai Cryddion, Llangwnnadl
Tyddyn Sander, Tudweliog
Tyddyn Ffeltiwr, Rhos-fawr
Plas Crwth, Mynytho
Llain Ffidil, Llangwnnadl
Llain Delyn, Penrhos
Cors y Wrach, Llaniestyn

**Byd Natur**

Ystol Helyg, Uwchmynydd
Cyll y Felin, Aberdaron
Bryn Celyn Isaf, Llithfaen
Ty'n yr Ynn, Efailnewydd
Tyddyn Ronnen, Y Ffôr
Punt Eithin, Llanengan
Tyddyn Blodau, Bryncroes
Tyddyn Drain, Llanaelhaearn
Cae Mieri, Rhydyclafdy
Meillionen, Dinas
Castell Grug, Llanbedrog
Rhedyn, Mynytho
Talcen Eiddew, Bryn Mawr
Tyddyn Callod, Aber-soch

Penyberth, Penrhos
Llwyn Beuno, Efailnewydd
Llainrutan, Llangwnnadl
Conion, Y Rhiw
Tyddyn Peiswyn, Cilan
Cae Berllan, Dinas
Tyddyn Priciau, Mynytho
Yr Wyddgrug, Madryn

**Anifeiliaid**

Bryn Geinach, Llangwnnadl
Craig Ewig, Bryncroes
Tŷ Beaver, Edern
Cwninghar, Boduan
Y Frochas, Boduan
Bodychenan, Llangwnnadl
Pwll March, Llanaelhaearn
Llety'r Ŵyn, Rhoshirwaun
Bryn Mynn, Llanaelhaearn
Pwll Defaid, Uwchmynydd
Cae Geifr, Aberdaron
Bryn Swynog, Aberdaron
Cae Llo, Morfa Nefyn
Pant yr Hwch, Pentre-uchaf
Mochras Uchaf, Rhydyclafdy
Penhyddgan, Boduan

**Adar**

Betris, Botwnnog
Dinas Brân, Ceidio
Porth Gwylan, Tudweiliog
Llwyn y Gwalch, Morfa Nefyn
Bron Miod, Llanaelhaearn
Nyth y Gigfran, Sarn Mellteyrn
Nyth y Gog, Sarn Mellteyrn
Cwm Ceiliog, Llanaelhaearn
Bryn Chwilog, Uwchmynydd
Porth Ysgaden, Penllech
Llyn Gelod, Rhoshirwaun

**Enwau Amrywiol**

Ty'n Anelog, Aberdaron
Bachellyn, Llanbedrog
Bachwared, Llanengan

125

Bodernabwy, Aberdaron
Bodgrugyn, Y Rhiw
Bodegroes, Efailnewydd
Botacho Ddu, Nefyn
Barrach Fawr, Llangïan
Bryn Iddon, Llanaelhaearn
Cadlan, Aberdaron
Cae Hic, Rhoshirwaun
Carrog, Llangwnnadl
Cefn Treuddyn, Tudweiliog
Cerniogell, Nefyn
Crymllwyn Bach, Rhos-fawr
Cyndyn, Aberdaron
Fantol, Rhoshirwaun
Faerdre, Botwnnog
Gryddyn, Llangwnnadl
Gwyddel, Uwchmynydd
Gwyniasau, Nefyn
Gwythrïan, Aberdaron
Gyfelan Fawr, Llangwnnadl
Gyfynus, Llangwnnadl
Hen Stad, Llaniestyn
Hobwr, Nefyn
Machroes, Aber-soch
Mathan Isaf, Boduan
Mela, Llannor
Nant y Rhiwdar
Pennantigyn, Mynytho
Pensgoits, Mynytho
Plas Ward, Llangïan
Riffli, Aber-soch
Rhedfa'r Dŵr, Tudweiliog
Tai Ffolt, Mynytho
Tir Topyn, Rhoshirwaun
Traian, Rhydyclafdy
Tri Hobed, Rhoshirwaun
Tir Bonog, Aberdaron
Tyddyn Dwn, Rhos-fawr
Tyddyn Gwêr, Mynydd Nefyn
Tyddyn Ffili, Llannor
Tyddyn Sachau, Y Ffôr
Tyddyn Singrig, Rhydyclafdy

# Llyfryddiaeth

Andrews, John F. – *The Story of Solomon Andrews and his Family,* y Barri, 1976

Andrews, John F. – *The Pwllheli and Llanbedrog Tramways*

Baring – Gould and Fisher – *The Lives of the British Saints*

Bassett, T.M. a Davies B.L. – *Atlas Sir Gaernarfon,* Caernarfon, 1977

Barber, Chris a Pykitt, David – *Journey to Avalon,* Y Fenni, 1993

Barber, Chris & Williams, John Godfrey – *The Ancient Stones of Wales,* Y Fenni, 1989

Barnes, John – *The Birds of Caernarfonshire,* The Cambrian Ornithological Society, 1997

Bowen, E.G. – *The Settlements of the Celtic Saints in Wales,* Caerdydd 1956

Burras, N. a Stiff J. – *Walks on the Llŷn Peninsula (Part 1),* Llanrwst, 1995

Burras, N. a Stiff J. – *Walks on the Llŷn Peninsula (Part 2),* Llanrwst, 1996

Burton, Graham – *Gwylio Adar yn Môn a Llŷn,* RSPB, 1990

Chitty, Mary – *The Monks on Ynys Enlli,* Mary Chitty 1992

Clowes, Carl – *Antur Aelhaearn,* Pen-y-groes, 1982

Cyngor Dosbarth Dwyfor – *Cylchdaith Nant Gwrtheyrn*

Davies, D.T. (Gol.) – *Hanes Eglwysi a Phlwyfi Lleyn,* Pwllheli, 1910

Davies, J. Glyn – *Cerddi Edern,* Lerpwl, 1955

Eames, Aled (Gol.) – *Cymry a'r Môr (Blynyddol),* Caernarfon (1976 ymlaen)

Edwards, Hywel Teifi – *Yr Eisteddfod Genedlaethol a Phwllheli 1875,1925 1955,* Pwllheli, 1987

Edwards, O.M. – *Tro Trwy'r Gogledd, Tro i'r De,* Wrecsam

Elias, Twm – *Y Porthmyn Cymreig,* Capel Garmon, 1987

Evans, Ioan Mai – *Crwydro Llŷn,* Llansawel, 1968

Evans, Ioan Mai – *Chwareli Ithfaen Pen Llŷn,* Capel Garmon, 1990

Evans, Ioan Mai – *Llŷn Trwy Ffenestri Cefnamwlch,* Pwllheli, 1990

Evans, Ioan Mai – *O Ben Llŷn i Botany Bay,* Llanrwst, 1993

Ferguson, Dave a Jones, Iwan Arfon – *Lleyn (A climber's guide to the Lleyn Peninsula)*

Griffith, E.J. – *Mynd a Dod ar Benrhyn Llŷn,* Pwllheli, 1979

Griffiths, Griffith – *Blas Hir Hel,* Porthmadog, 1976

Gruffydd, Eirlys – *Gwrachod Cymru,* Caernarfon, 1980

Gruffydd, Elfed – *Ar Hyd Ben 'Rallt,* Pwllheli, 1991

Gwyndaf, Robin – *Blas ar Fyw,* Pwllheli, 1989

Hughes, D.G. Lloyd – *Hanes Eglwys Penmount Pwllheli,* D G L H, 1981

Hughes, D.G. Lloyd – *Hanes Tref Pwllheli,* Llandysul, 1986

Hughes, D.G. Lloyd – *Hanes Eglwys Pwllheli,* D G Ll H, 1987

Hughes J.O. – *Y Tylwyth Teg,* Capel Garmon,1987

Huws, Arfon – *Llyn y Garreg Ateb,* Caernarfon, 1995

Jones, A.E. (Cynan) – *Cerddi Cynan,* Lerpwl, 1959

Jones, Bedwyr Lewis – *Blas ar Iaith Llŷn ac Eifionydd,* Capel Garmon, 1987

Jones, Charles – *Cyfres Beirdd Bro – 6,* Abertawe, 1977

Jones, Elis Gwyn – *O Ynys Enlli i Ynys Cynhaearn,* Pwllheli, 1986
Jones, Emyr Wyn – *Ysgubau'r Meddyg,* Y Bala, 1973
Jones, Ernest – *Coch Bach y Bala,* Dinbych, 1972
Jones, Francis – *The Holy Wells of Wales,* Caerdydd, 1992
Jones, John (Myrddin Fardd) – *Llên Gwerin Sir Gaernarfon,* Caernarfon, 1908
Jones, John (Myrddin Fardd) – *Gleanings from God's Acre,* Pwllheli, 1903
Jones, Moses Glyn, *Blodeugerdd Llŷn,* Barddas, 1984
Jones, Moses Glyn a Roberts, Norman – *Bwgan Pant y Wennol,* Pwllheli, 1986
Jones, R. Gerallt – *Enlli,* Caerdydd, 1996
Jones, T. Gwynn – *Welsh Folklore and Folk Customs,* 1930
Lewis, Dewi E. – *Enwau Adar,* Llanrwst, 1994
Lloyd-Jones, J. – *Enwau Lleoedd Sir Gaernarfon,* Caerdydd, 1928
Lynch, Frances – *A Guide to Ancient and Historic Wales – Gwynedd,* HMSO, 1995
Owen, Glyn Russell – *Stori Dda,* Tal-y-bont, 1984
Owen, Goronwy P. – *Methodistiaeth Llŷn ac Eifionydd,* 1978
Parri, Harrl – *Morgan y Gogrwr o Fwlch-y-Rhiw,* Pwllheli, 1983
Parry, Gruffydd – *Crwydro Llŷn ac Eifionydd,* Llandybie, 1966
Parry, Gruffydd – *Yn ôl i Lŷn ac Eifionydd,* Pwllheli, 1969
Parry, Henry – *Wrecks and Rescue on the Coast of Wales (Cardigan Bay & Anglesey),* Truro, 1969
Richards, Emlyn – *Adeiladwyd gan Dlodi,* Caernarfon, 1991
Roberts, Iona – *Hen Luniau Edern a Phorthdinllaen (Cyfrol 1,2,3),* Caernarfon, 1987-90
Roberts, Mai – *Ardal Boduan (1865-1965),* Mai Roberts, 1990
Spencer, Ray – *A Guide to the Saints of Wales and the West Country,* Llanerch, 1991
Thomas, David – *Hen Longau Sir Gaernarfon,* Caernarfon, 1952
Wiliam, Eurwyn – *Gwenni Aeth i Ffair Pwllheli,* Caernarfon, 1994
Williams, J.G. – *Pigau'r Sêr,* Dinbych, 1969
Williams, Griffith R. – *Cofio Canrif,* Caernarfon, 1990
Williams, Wil – *Mwyngloddio ym Mhen Llŷn,* Llanrwst, 1995
*An Inventory to the Ancient Monuments in Caernarvonshire, Volume II: Central* (HMSO, 1960)
*An Inventory to the Ancient Monuments in Caernarvonshire, Volume III: West* (HMSO, 1964)

**Darllen Pellach**

Ellis, Dan – *Rhodio Lle Gynt y Rhedwn,* Dinbych, 1974
Hall, Edmund Hyde (Gol. Jones Pierce, T. a Jones, E. Gwynne) – *A Description of Caernarvonshire (1809-1811),* Caernarfon, 1952
Jones, Jennie – *Tomos o Enlli,* Llandybie, 1964
Kirk, David – *A Tour in Wales – Thomas Pennant,* Llanrwst, 1998
Lloyd, Lewis – *Pwllheli – The Port and Mart of Llŷn,* Lewis Lloyd, 1991

Thomas, R.S. – *Blwyddyn yn Llŷn,* Caernarfon, 1990

Williams, Gwladys – *Gynt . . . ,* Caernarfon, 1974

Cyfresi:

*Darlith Clwb y Bont, Pwllheli*

*Darlithoedd Llŷn*

# Mynegai

# Cyfrolau Eraill yn y Gyfres